TRAVAUX PUBLICS

DES

ÉTATS-UNIS D'AMÉRIQUE

EN 1870

RAPPORT DE MISSION

PARIS. — IMP. SIMON RAÇON ET COMP., RUE D'ERFURTH, 1.

TRAVAUX PUBLICS

DES

ÉTATS-UNIS D'AMÉRIQUE

EN 1870

RAPPORT DE MISSION

PAR

M. MALÉZIEUX

INGÉNIEUR EN CHEF

PROFESSEUR A L'ÉCOLE NATIONALE DES PONTS ET CHAUSSÉES

PUBLIÉ PAR ORDRE

DE

M. LE MINISTRE DES TRAVAUX PUBLICS

ATLAS

PARIS

DUNOD, ÉDITEUR

LIBRAIRE DES CORPS DES PONTS ET CHAUSSÉES ET DES MINES

49, QUAI DES AUGUSTINS, 49

1873

TABLE DES PLANCHES

INTRODUCTION

PONTS

I. — Ponts en poutres droites.

II. — Ponts suspendus modernes.

III. — Fondations a l'air comprimé.

1° *Pont de la Rivière de l'Est.*

2° *Pont de Saint-Louis.*

CHEMINS DE FER

NAVIGATION INTÉRIEURE

PORTS DE MER

TRAVAUX MUNICIPAUX

VOIE PUBLIQUE.

DISTRIBUTIONS D'EAU.

OBJETS DIVERS

MISSION AUX ÉTATS-

Longitude Ouest de Washington.

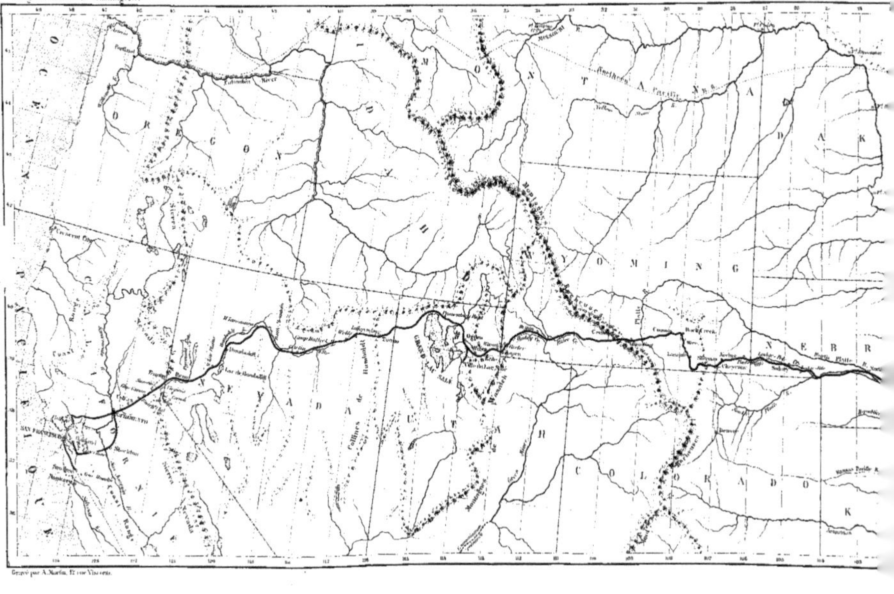

Gravé par A. Martin, 12 rue Visconti.

ITINÉRAIRE GÉNÉRAL.

Pl. 1

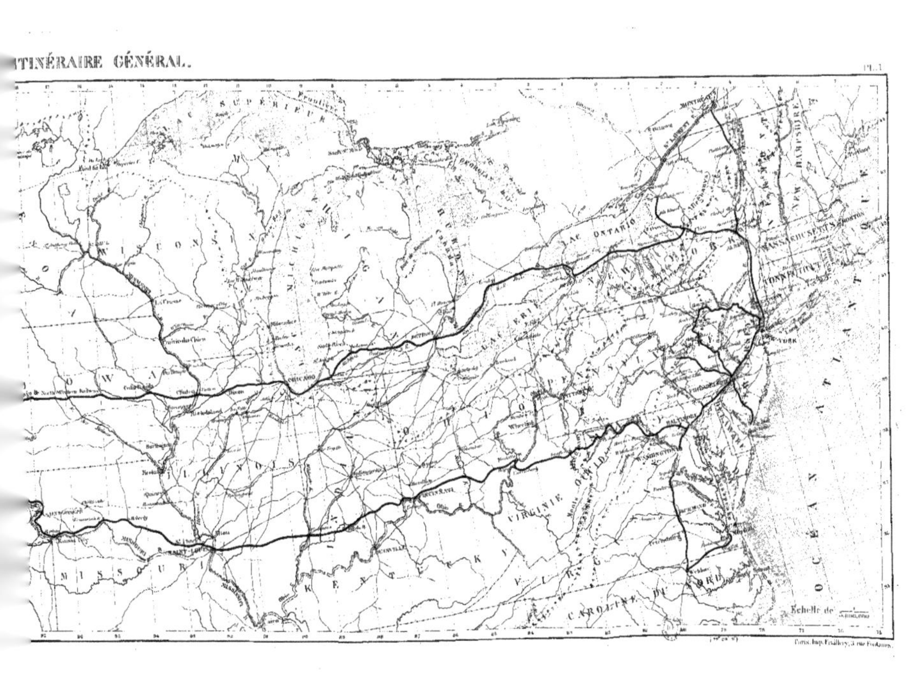

DIAGRAMMES DES SEPT PRINCIPAUX TYP

Système Fink.

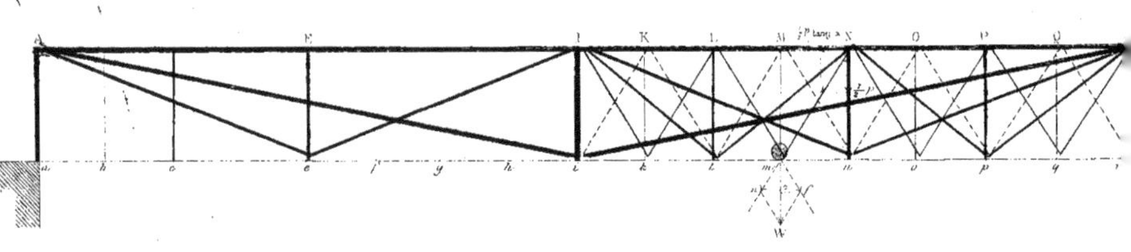

Système Bollman.

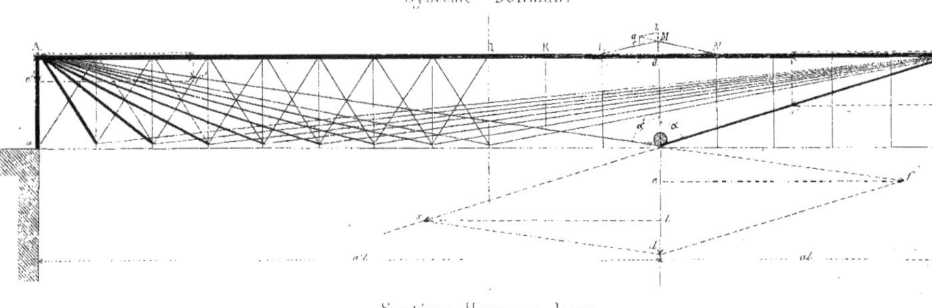

Système Howe ou Jones.

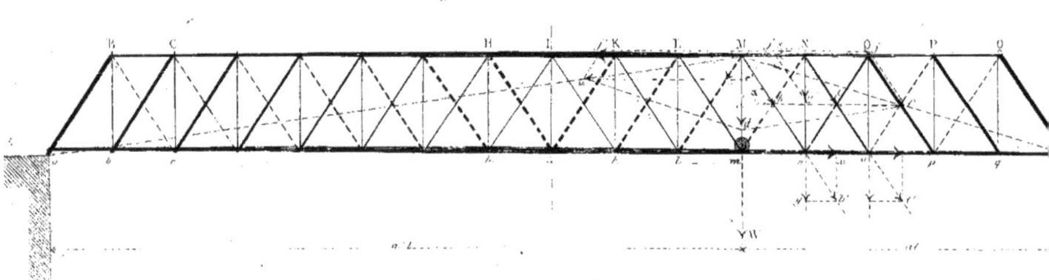

* Ces diagrammes sont extraits de l'ouvrage du Col. W. E. Merrill: Iron truss Bridges; New-York, D. Van Nostrand, 1870.

Gravé chez J. Chenevau, Paris.

ES DROITES EN USAGE AUX ÉTATS-UNIS.

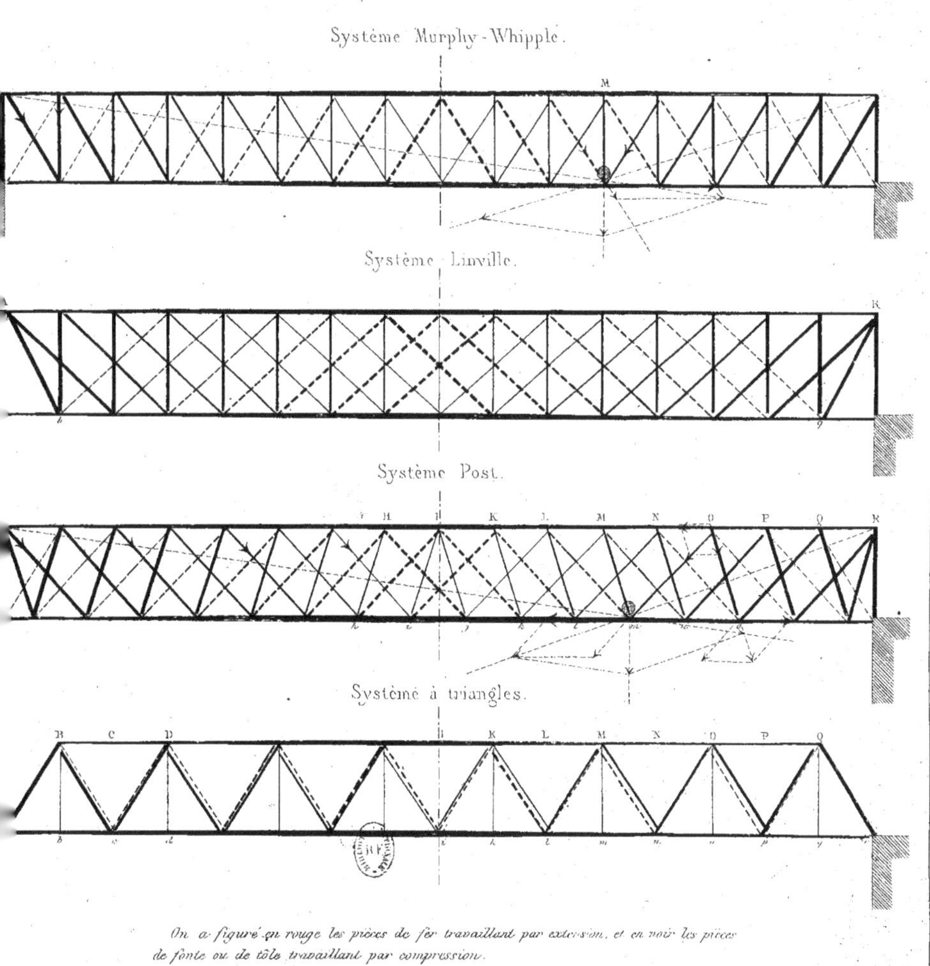

On a figuré en rouge les pièces de fer travaillant par extension, et en noir les pièces de fonte ou de tôle travaillant par compression.

Lith. Fraillery & Cie rue Fontanes, 3, Paris.

PONTS MÉTALLIQUES A

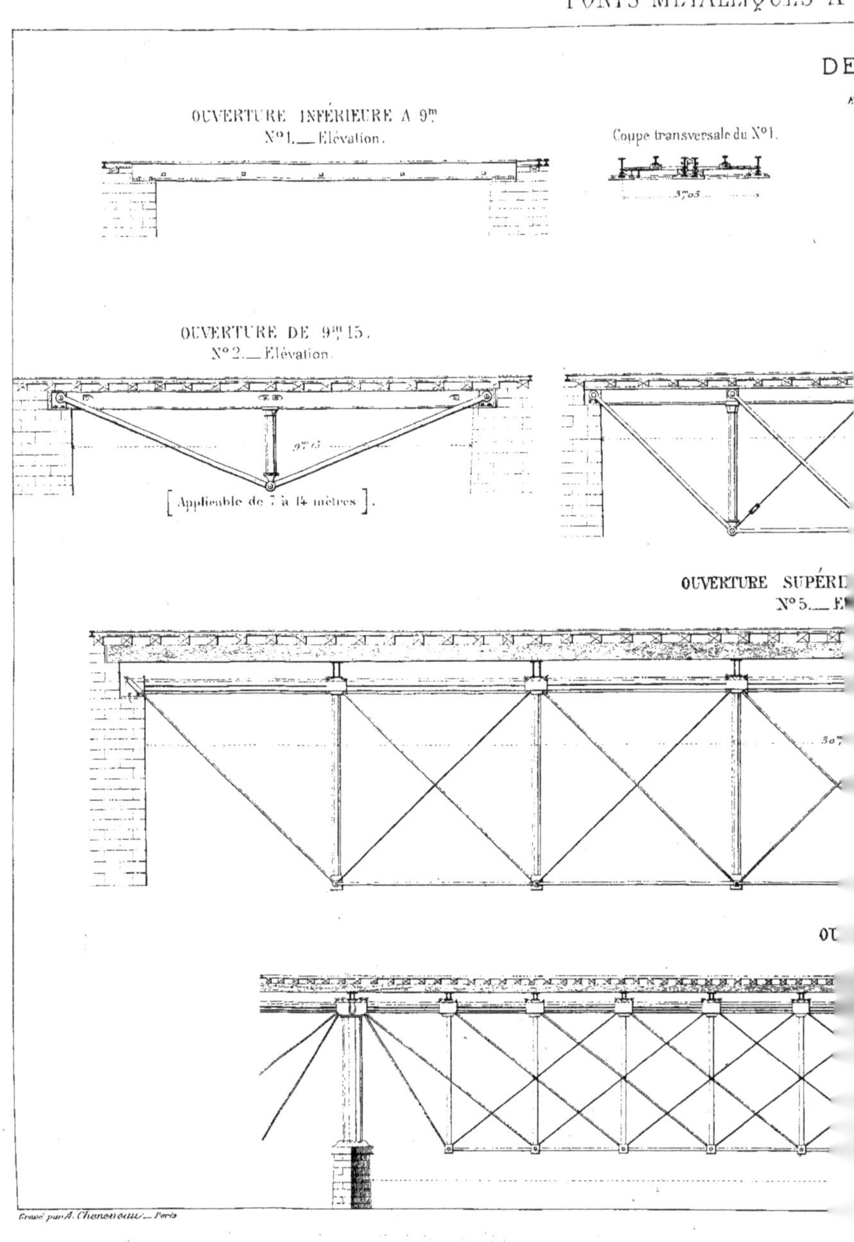

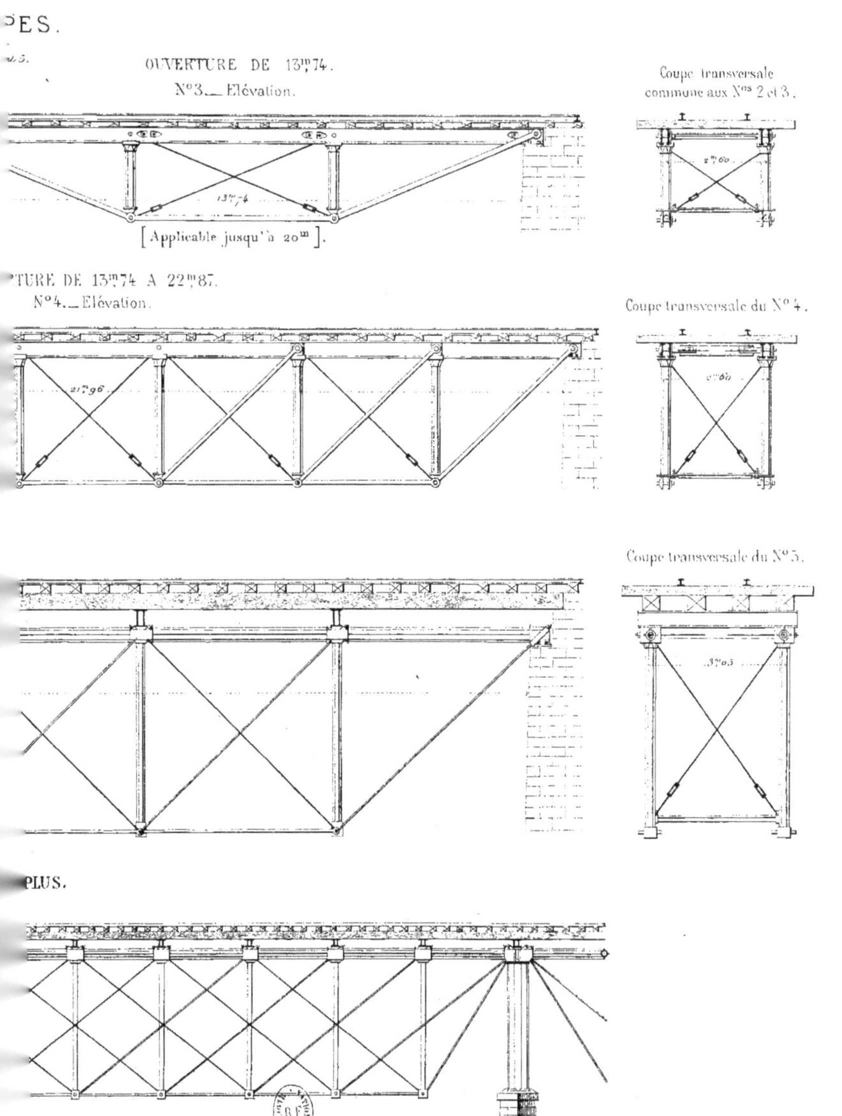

Imp. Fraillery & Fontaine

DE

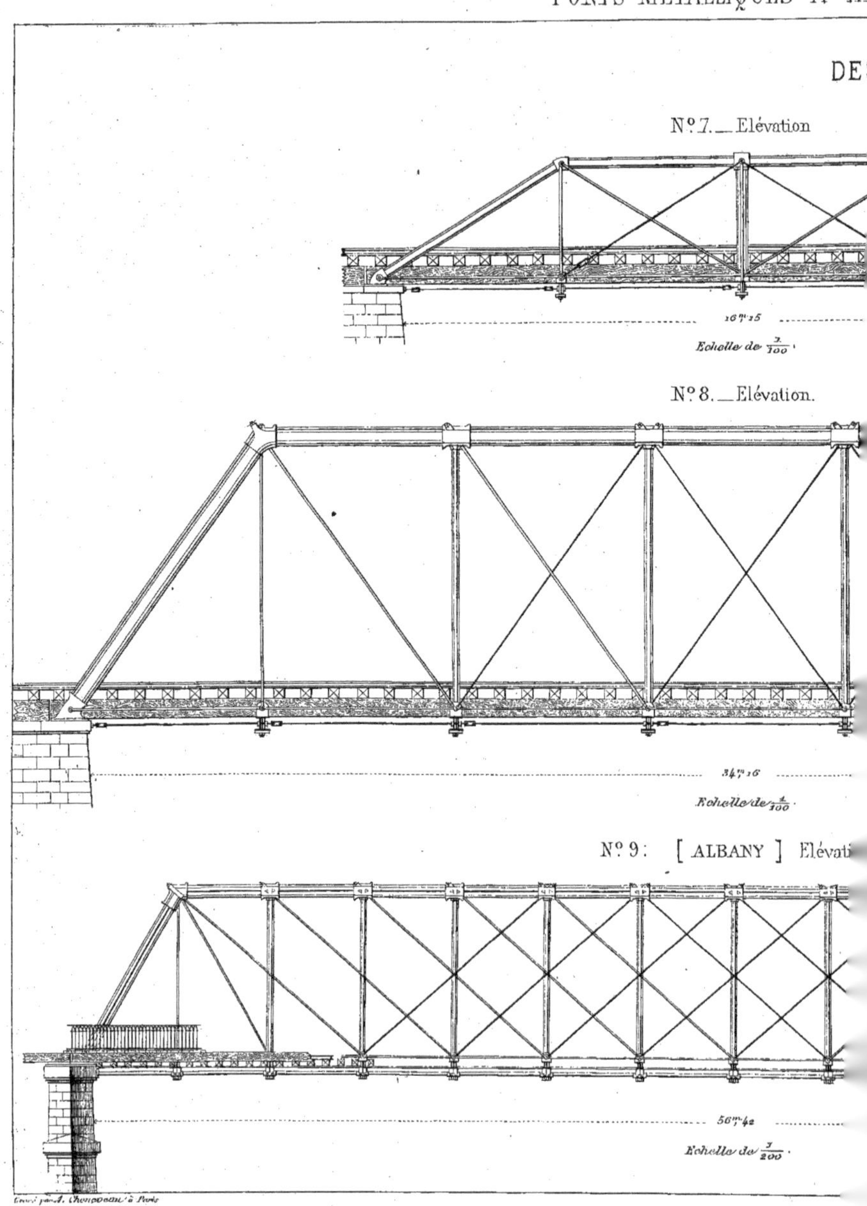

Gravé par A. Chenoveau à Paris

PES.

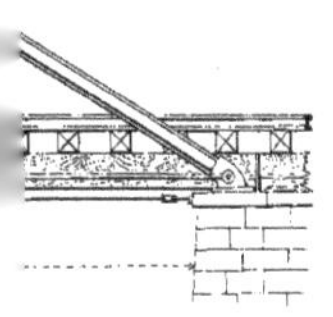

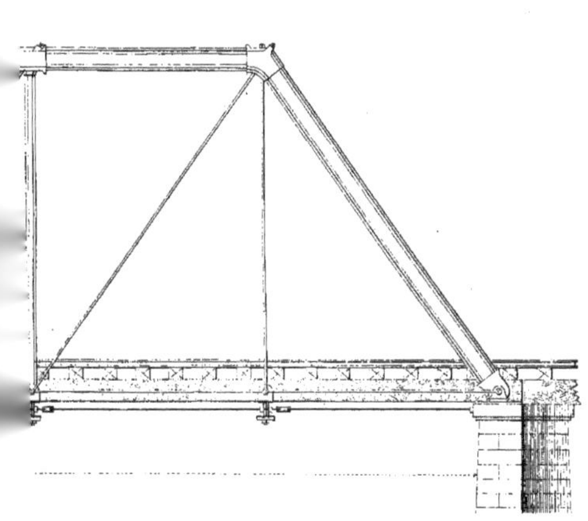

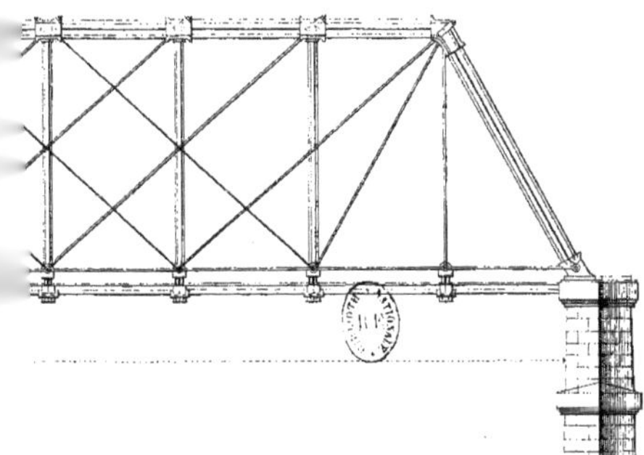

Coupe transversale du N° 7.

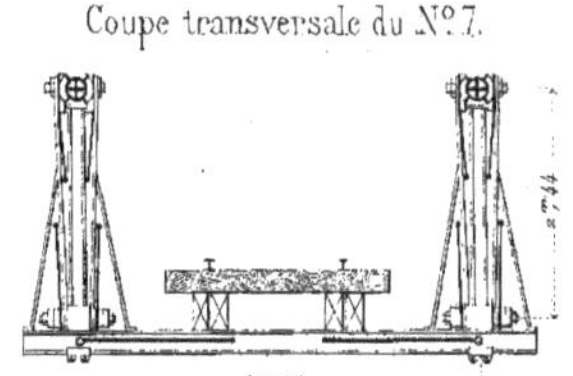

Coupe transversale du N° 8.

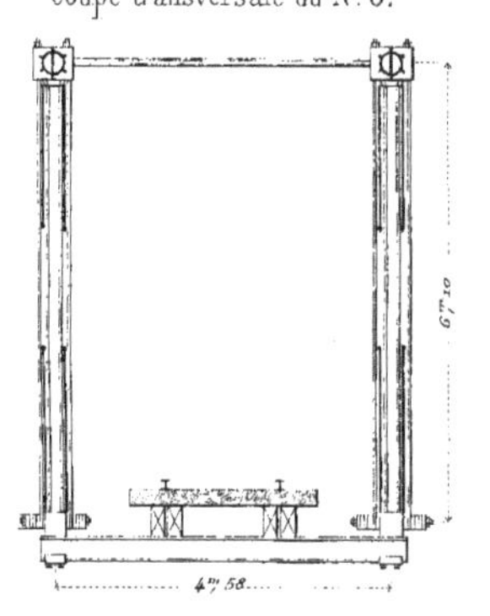

Coupe transversale du N° 9.

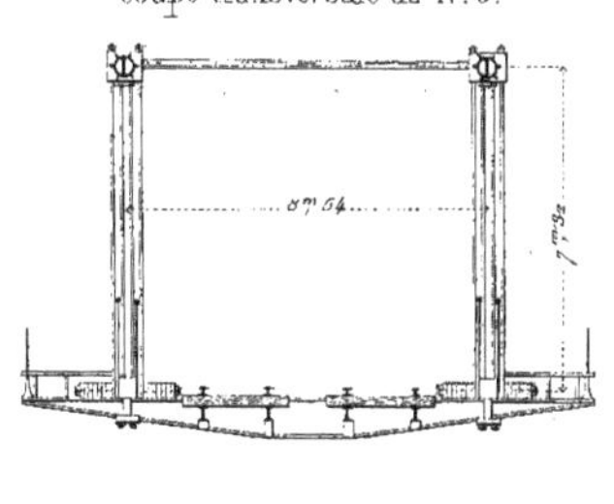

PONTS

DI
PONTS SUR RA
N° 12. — Elévation.
9m,25
9m,25
6m,70
N° 13. — Elévation.
4m,88
18m,30
6m,40
Echelle de 0m,01 pour 1 mètre
0 1 2 3 4 5 6 7 8 mètres
Gravé par A. Chenevaux, Paris

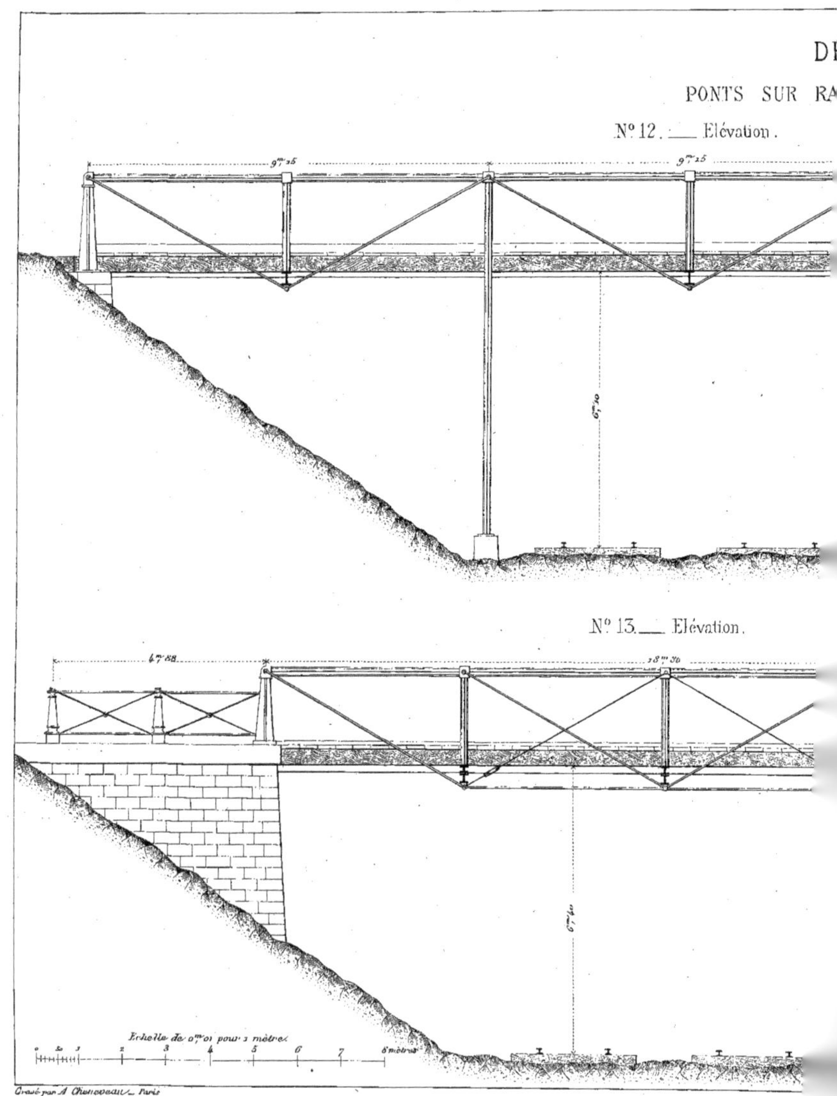

PES.

.CTES ORDINAIRES.

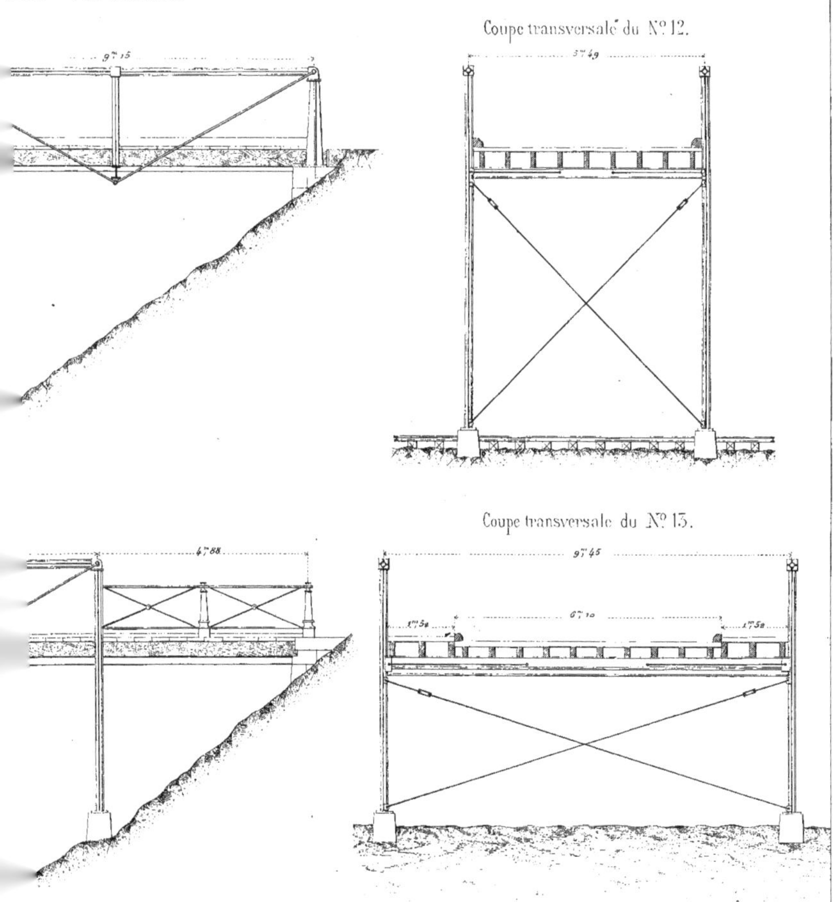

D

N° 10.__ Élévation.

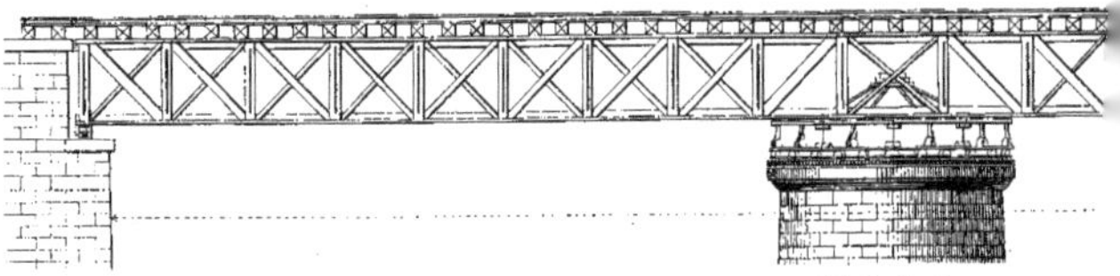

Echelle de $\frac{1}{200}$.

N° 11._[ALBANY]. Élévation.

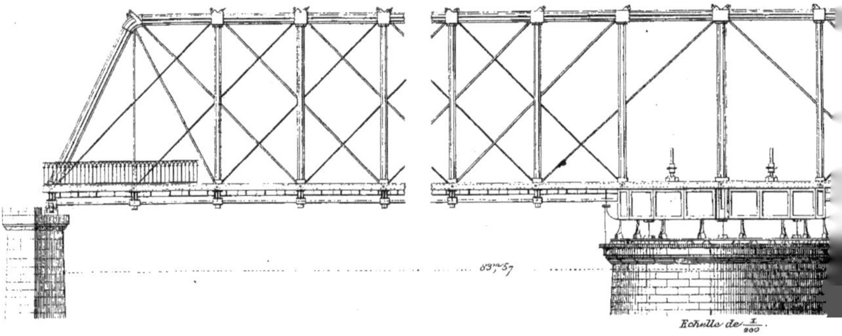

63m,57

Echelle de $\frac{1}{200}$.

N° 14.__ Élévation.

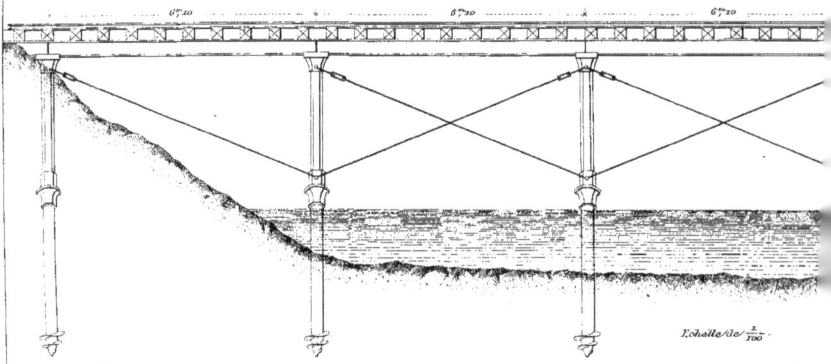

6m,10 6m,10 6m,10

Echelle de $\frac{1}{100}$.

Gravé par J. Chenevoux — Paris

PES.

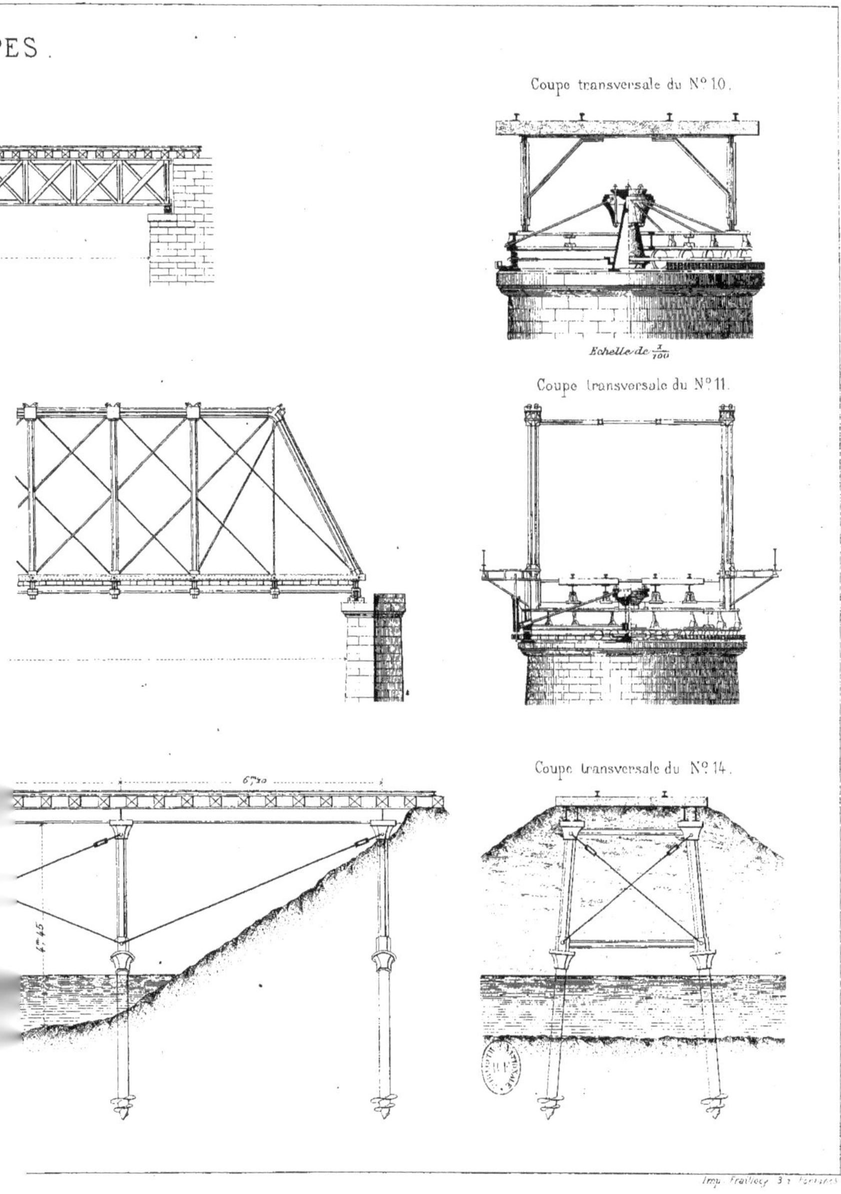

Imp. Fraillery 3 r. Fontaines

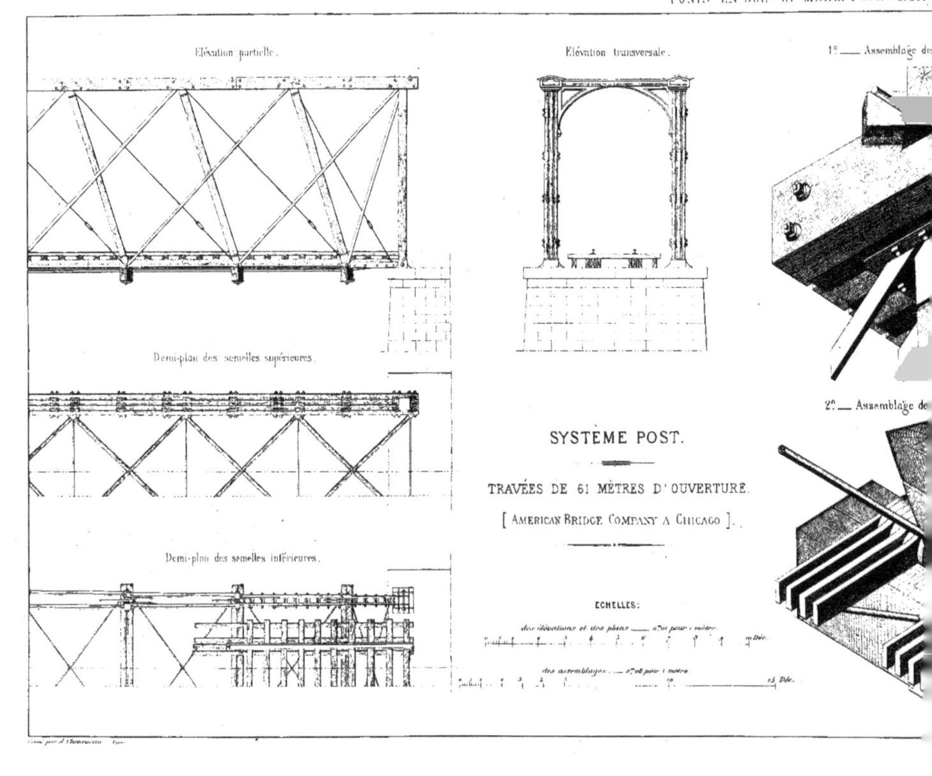
Élévation partielle.
Élévation transversale.
1°__ Assemblage des
Demi-plan des semelles supérieures.
2°__ Assemblage de
SYSTÈME POST.
TRAVÉES DE 61 MÈTRES D'OUVERTURE.
[AMERICAN BRIDGE COMPANY A CHICAGO].
Demi-plan des semelles inférieures.
ECHELLES:
des élévations et des plans
des assemblages

...re.

3° — Assemblage des montants extrêmes avec la semelle supérieure.

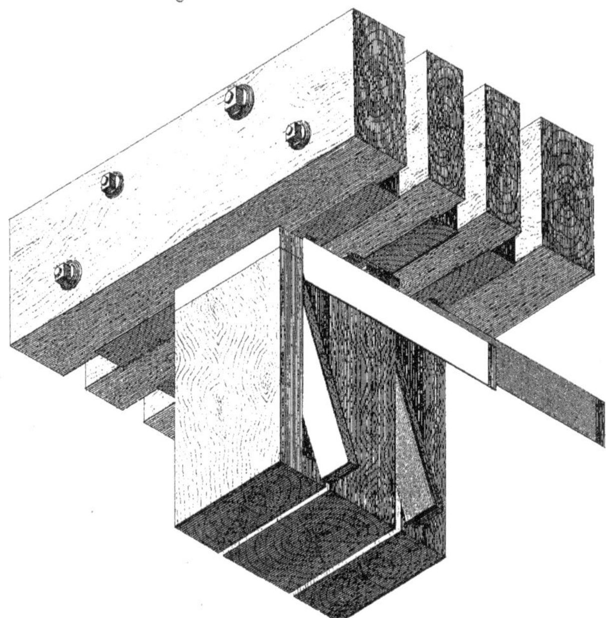

4° — Assemblage des montants extrêmes avec la semelle inférieure.

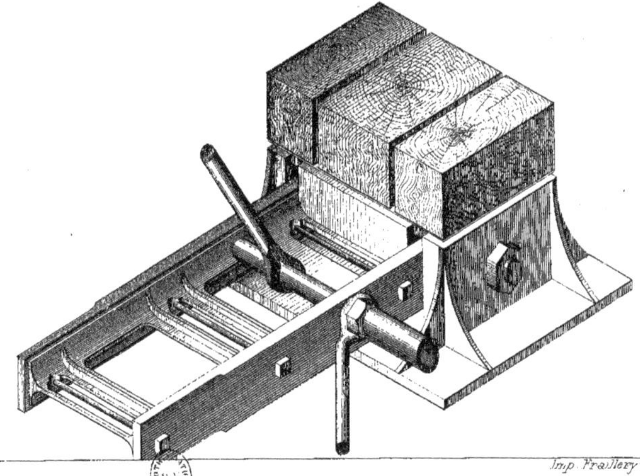

Imp. Frailery et Cie 3 r. Fontaine

PONT EN BOIS ET

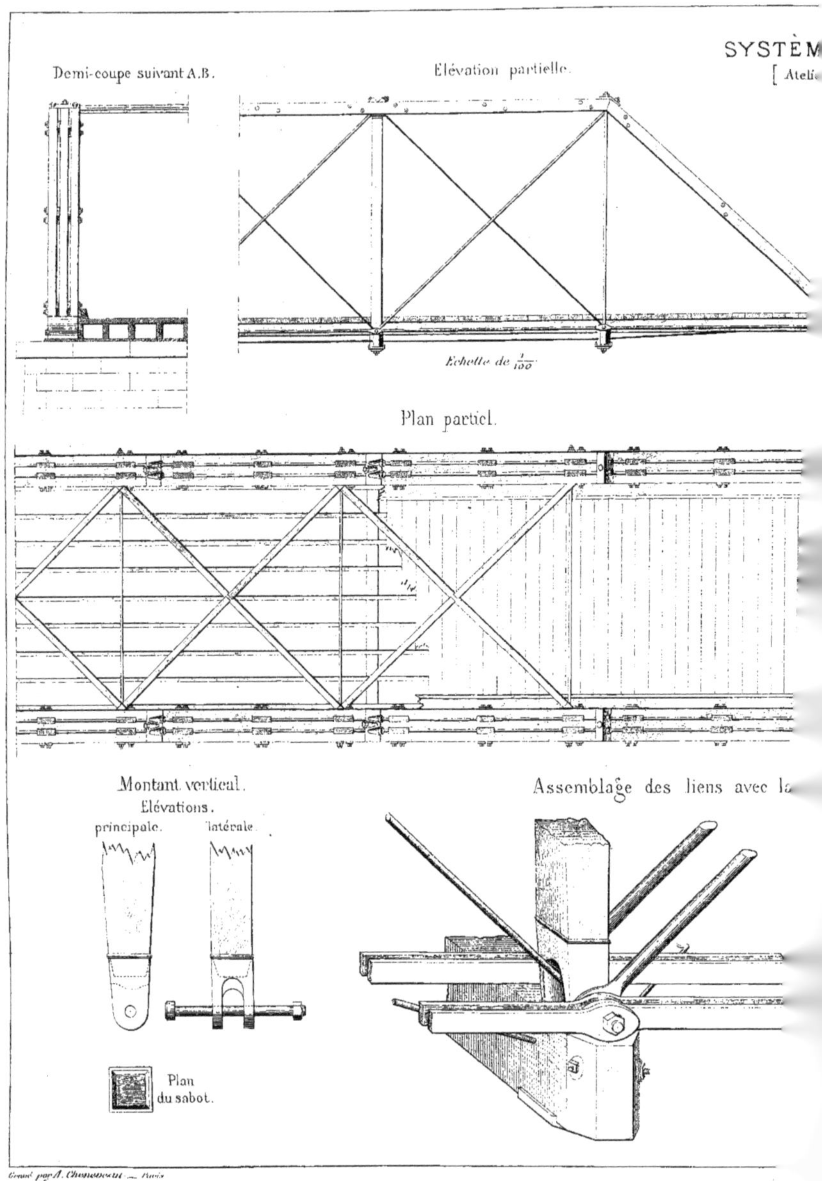

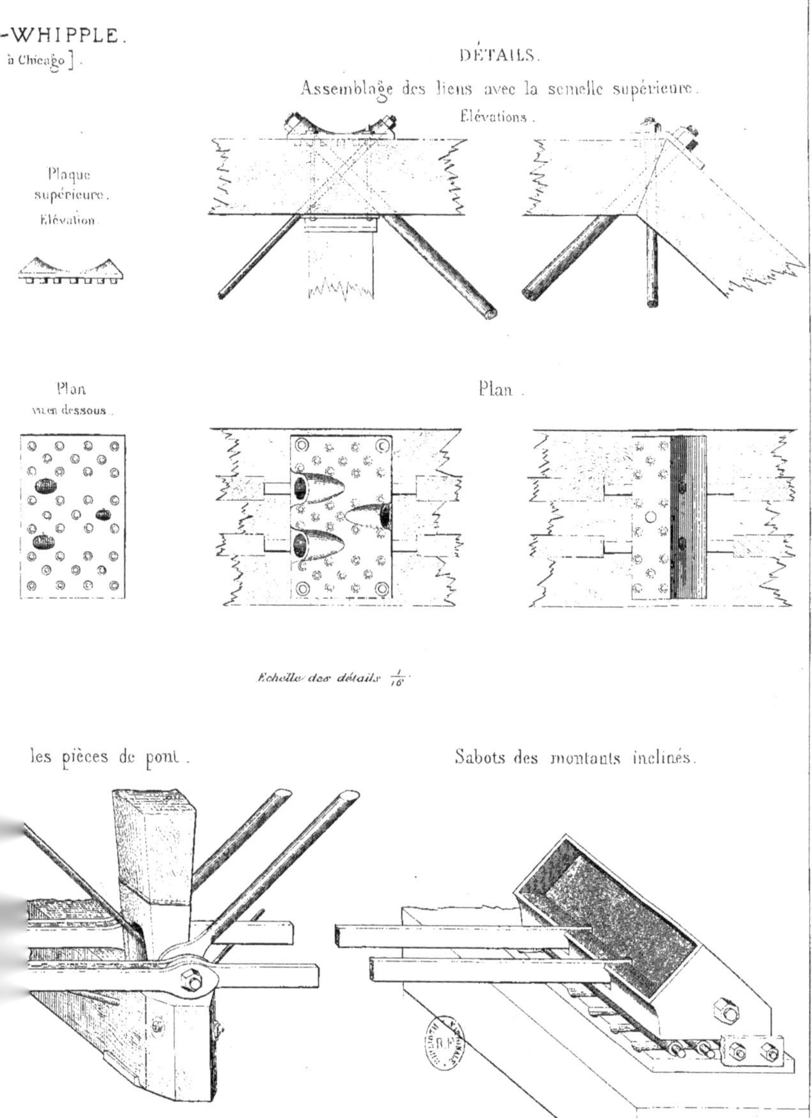

Imp. Fraillery 3 r. Fontaines

PONT-TOURNA

TYPE EXÉCUTÉ

[Ateliers de

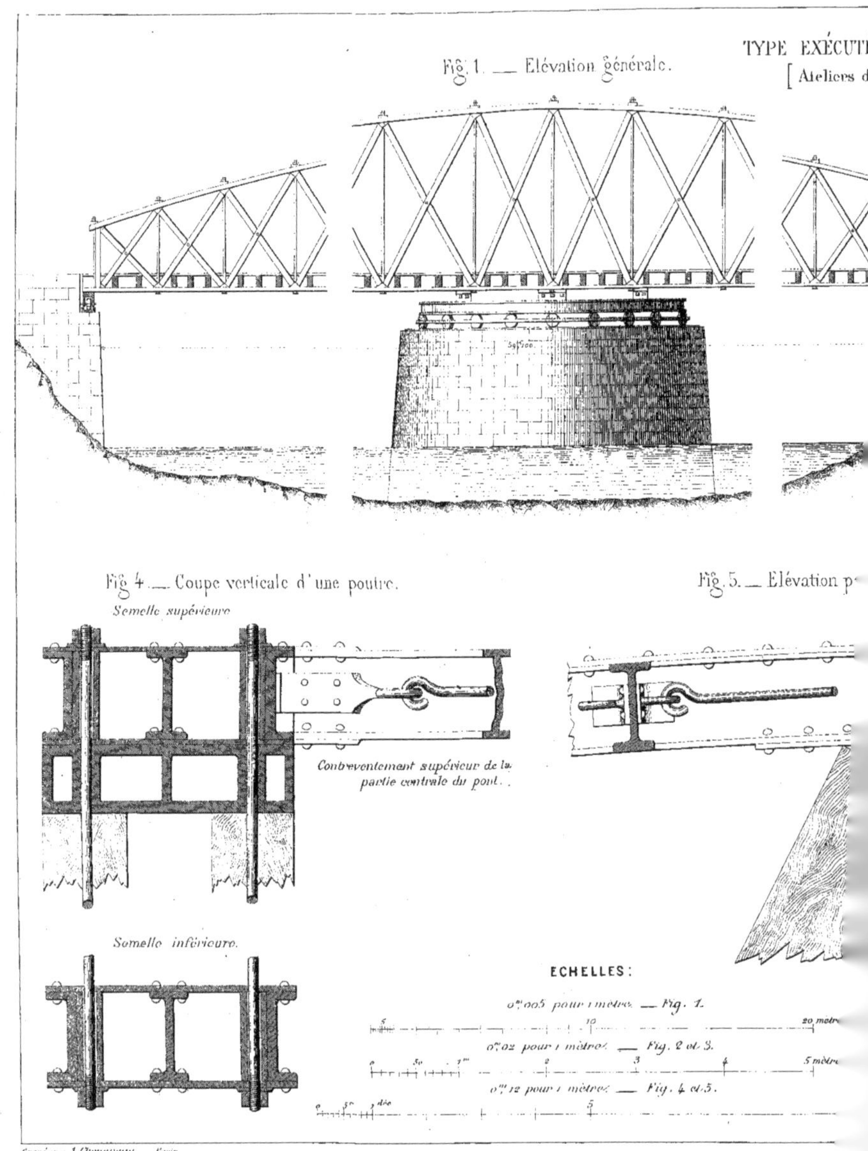

Gravé par J. Chevreau — Paris.

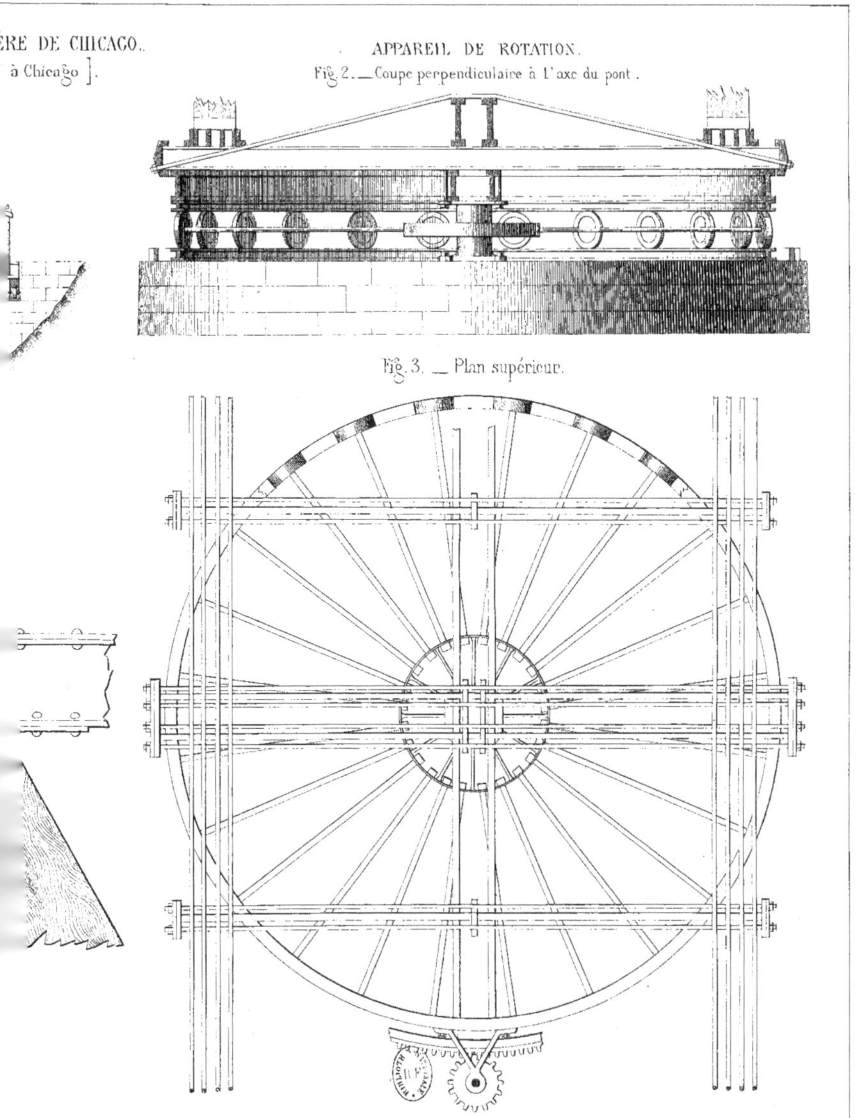

Imp. Traillery r. Fontanes 3

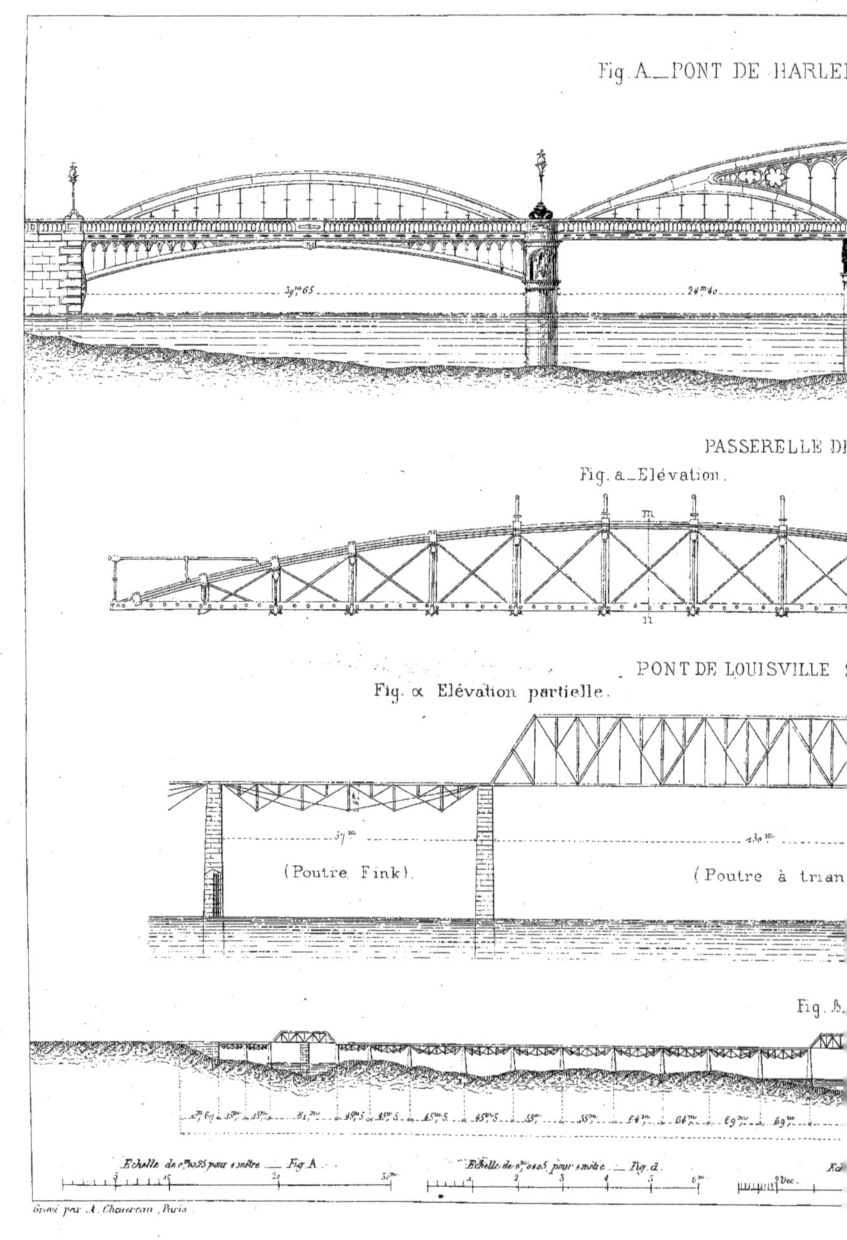

PONTS EN
Fig. A_PONT DE HARLEM
PASSERELLE DE
Fig. a_Elévation.
m
n
PONT DE LOUISVILLE
Fig. α Elévation partielle.
(Poutre Fink).
(Poutre à trian
Gravé par A. Chauveau, Paris.

re de même nom [NEW-YORK]

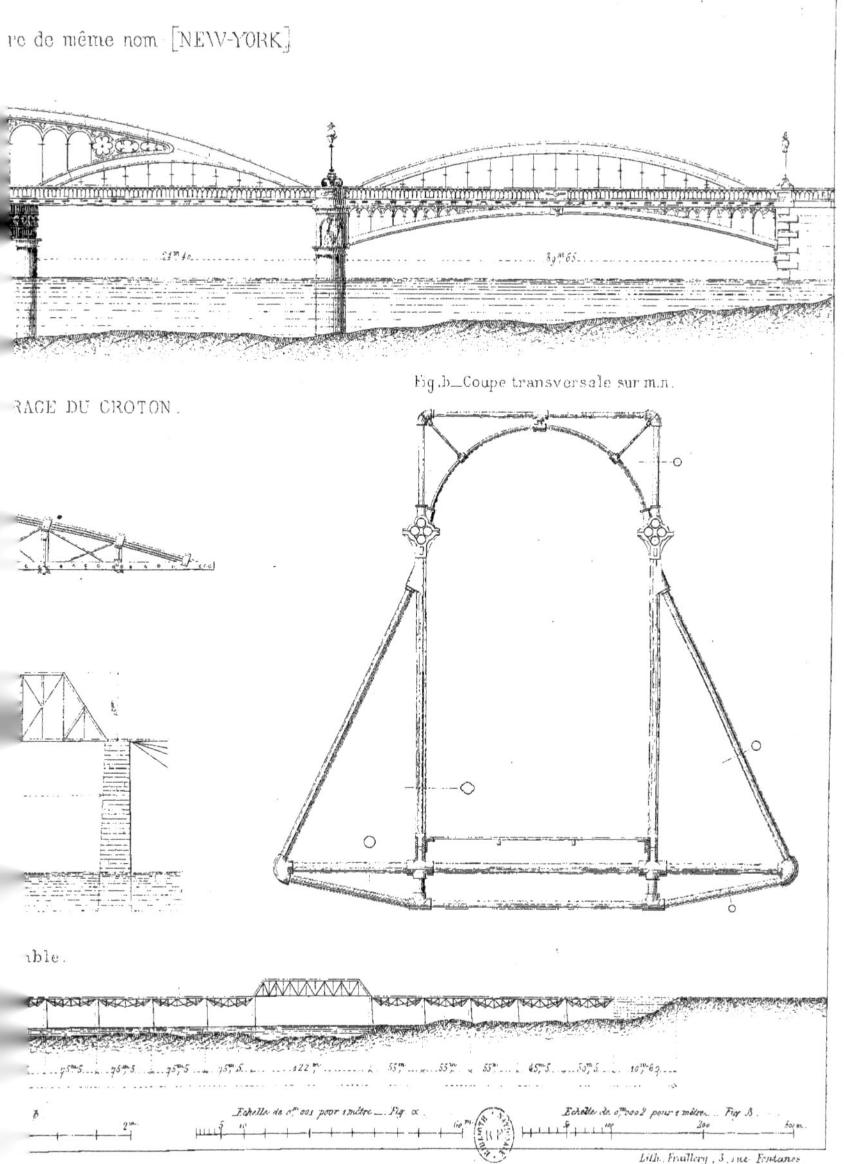

PONTS EN POUTRES MÉTAL

PONT DE

Fig. 1. __ Bras secondai

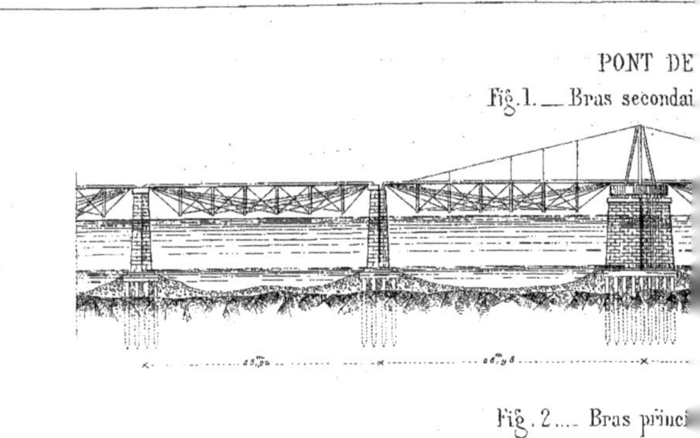

Fig. 2.... Bras princi

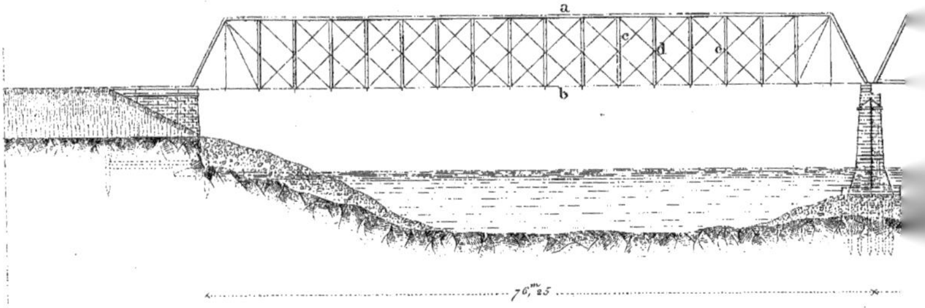

Détails d'Assemblage.

Fig. 3.__ Élévation partielle

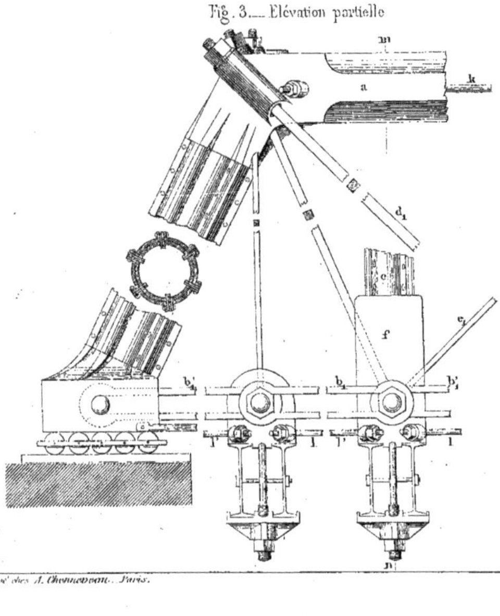

Fig. 4..

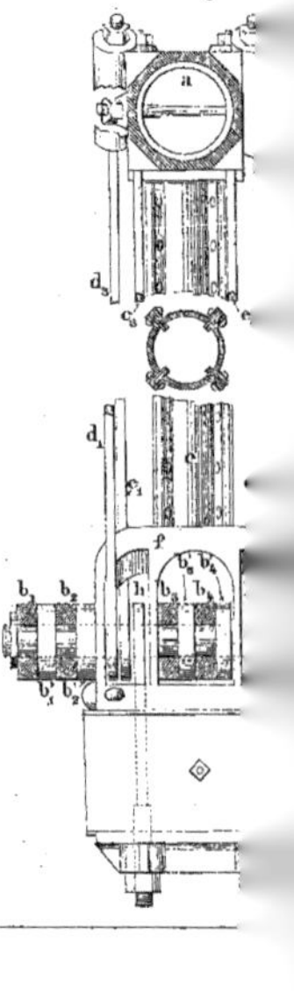

Gravé chez A. Chenneveau.. Paris.

MISSISSIPI.

ois). — Système Bollman.

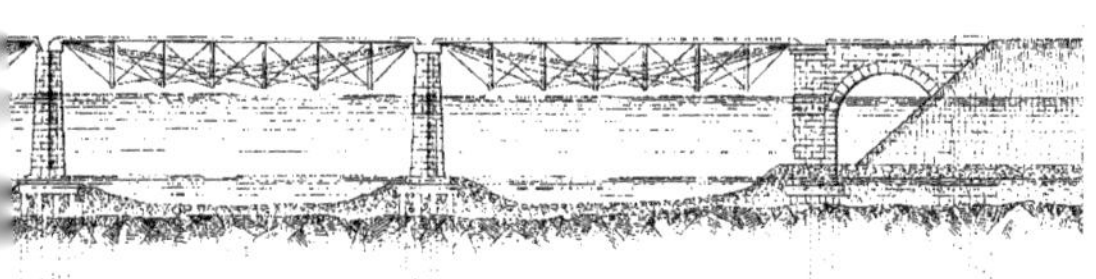

ri). — Système Linville.

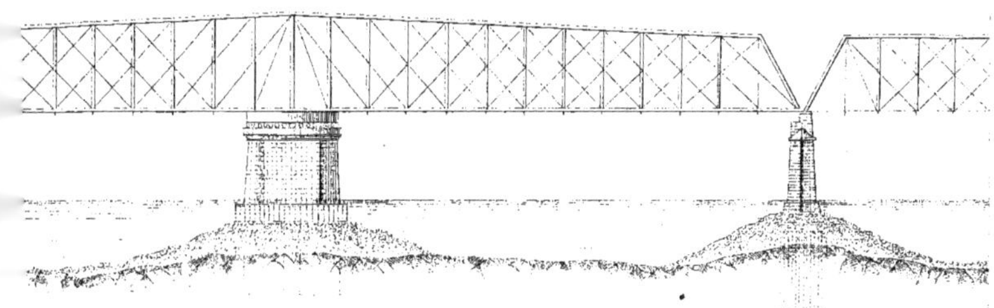

Fig. 5. — Coupe transversale

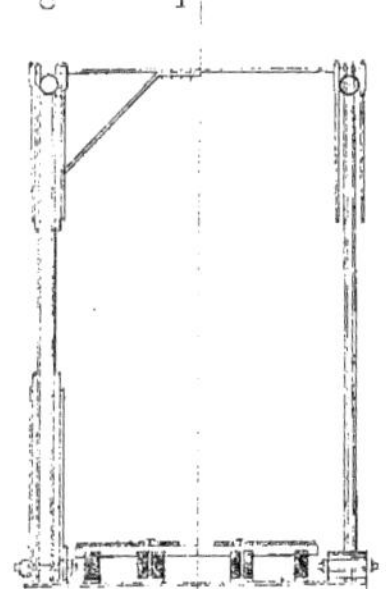

LÉGENDE

a .... Semelle supérieure.

$b_1 b_2 b_3 b_4 b_5 b_6$ Chaînons de la semelle inférieure dirigés dans un sens.

$b'_1 b'_2 b'_3 b'_4 b'_5 b'_6$ Chaînons de la semelle inférieure dirigés dans le sens contraire.

c .... Montants.

$d_1 d_2 d_3 d_4$ .... Tirants.

$e_1 e_2 e_3 e_4$ .... Contre-tirants.

f .... Socle sur lequel pose le montant et qui pose lui-même sur deux poutrelles à double té, formant pièce de pont.

h.h' .... Boulons accrochés chacun par un anneau à la charnière g et supportant un plateau de fonte qui porte à son tour les deux poutrelles.

k .... Tirant du contreventement horizontal supérieur.

l.l' .... Tirants du contreventement horizontal inférieur.

ECHELLES

0m,0016 pour 1m — Fig. 1 et 2.

0 5 10 20 30 40 50m

0m,084 pour 1m — Fig. 3 et 4.

0 50 1m 2 3 4 5 6 7 8 9 10m

0m,024 pour 1m — Fig. 5.

0 50 1 2 3 4 5 6m

Imp. Fraillery, r. Fontaine

PONTS MÉTALLIQU

PO

Chemi

ÉSVILLE

Pennsylvanie

Lamblin sc.

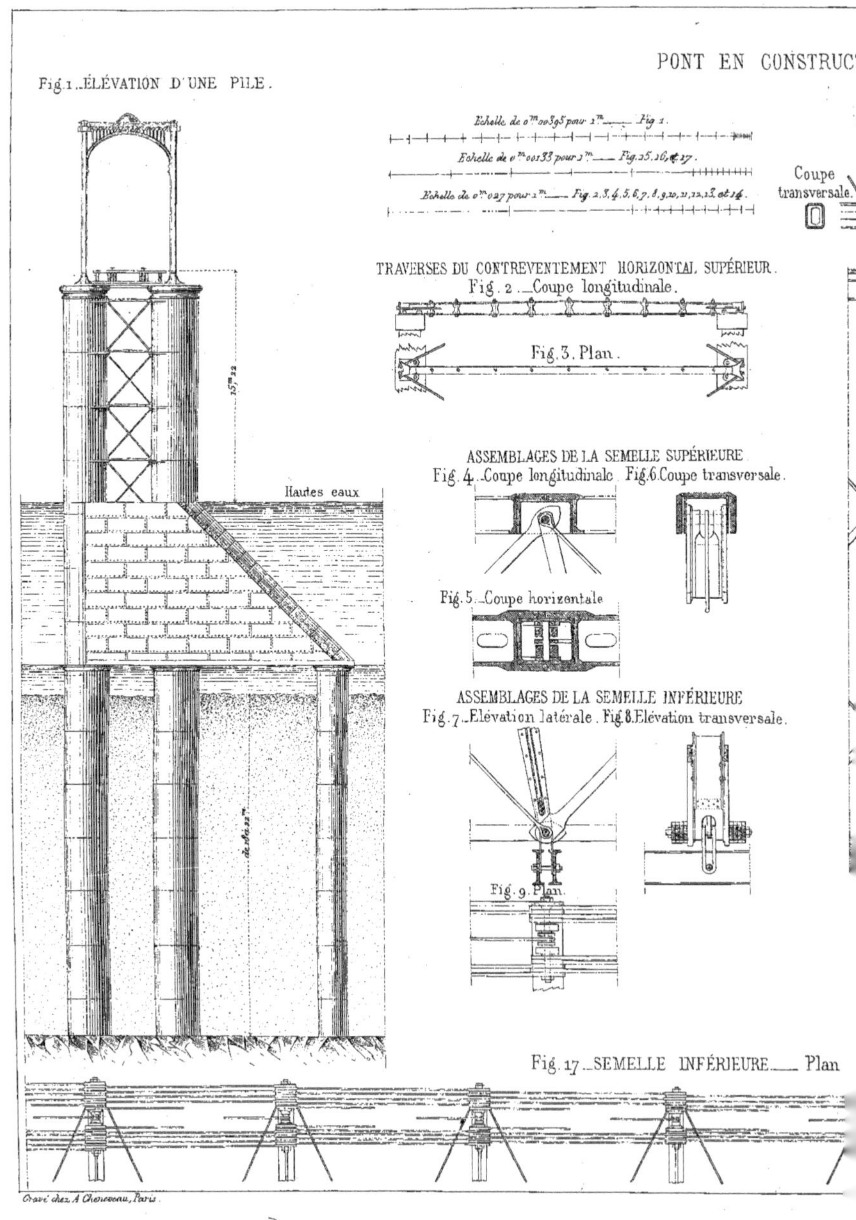

Gravé chez A. Chevereau, Paris.

ANDES MAILLES ARTICULÉES. PL. 13.

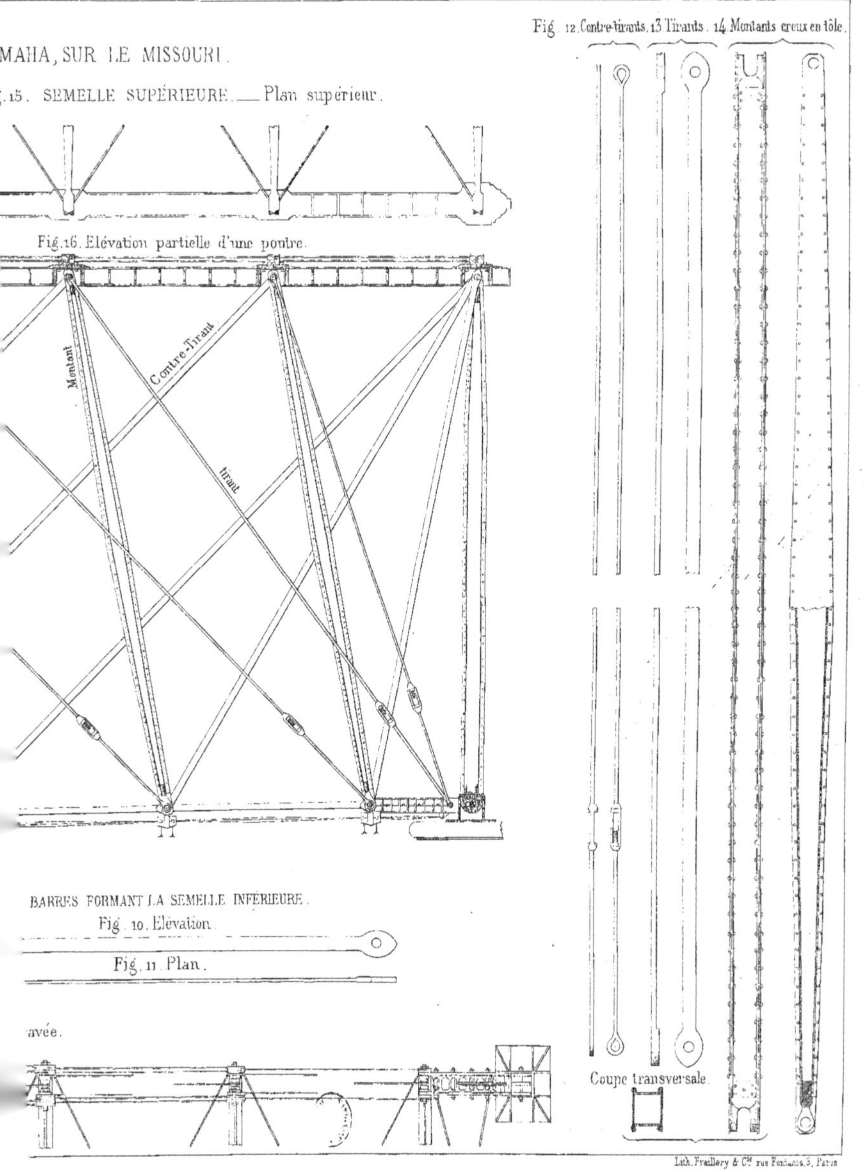

PONT SUR LE TRUCKEE [NEVADA]

[Chemin de fer du Pacifique]

AQUEDUC

Traversée du Rock-Creek.

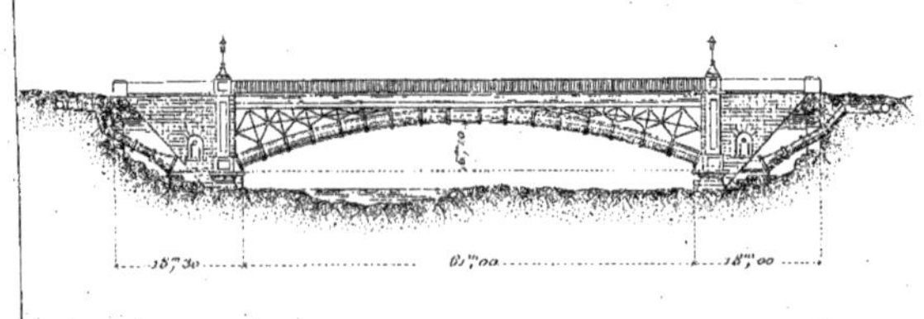

Echelle de $\frac{1}{1000}$.

Gravé par A. [illegible] – Paris

E FREEPORT SUR L'ALLEGHANY.

nin de fer Central de la Pennsylvanie.]

U POTOMAC

Traversée du College Branch.

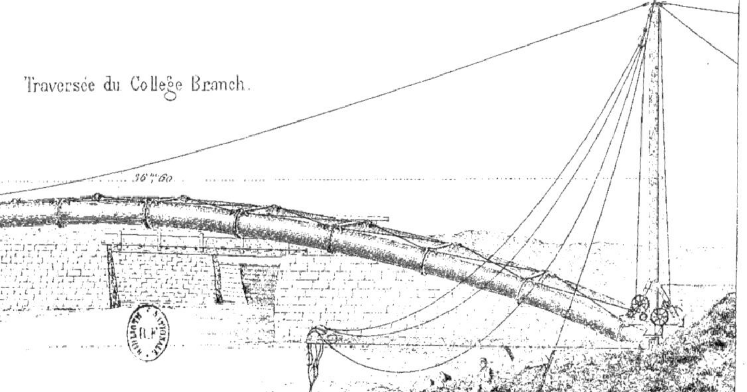

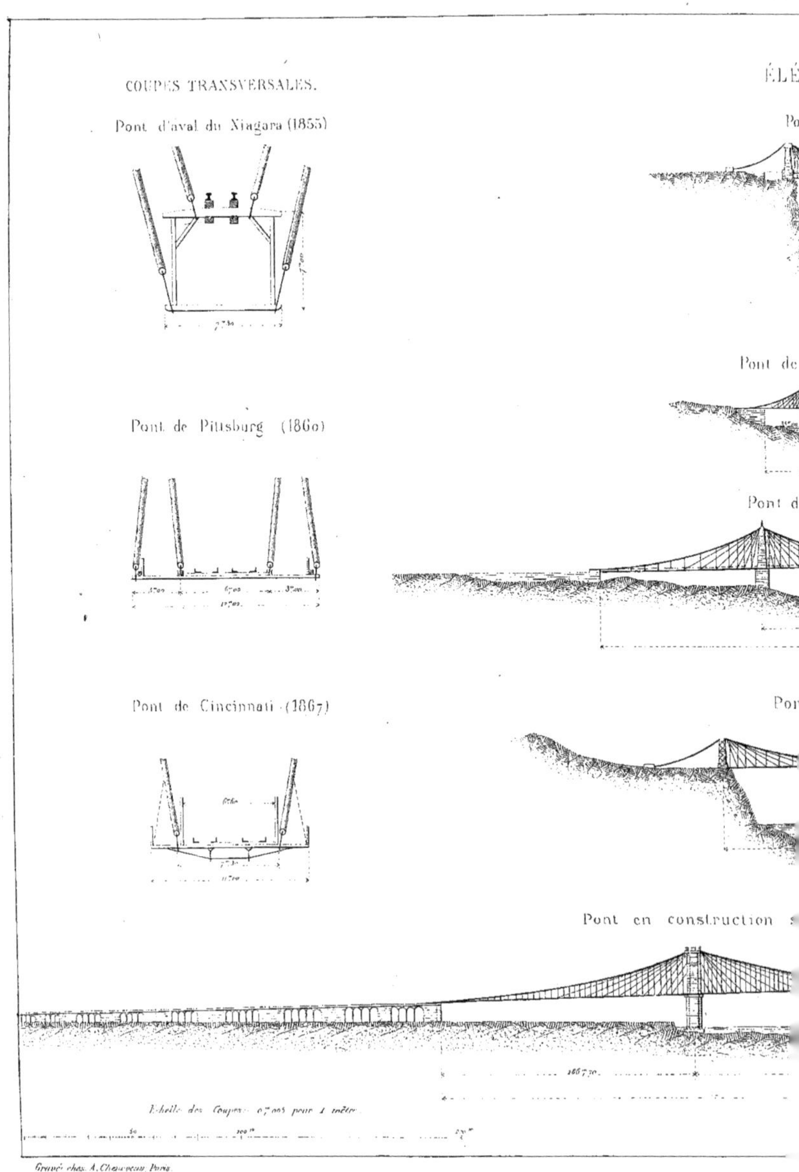

Gravé chez A. Chauveau, Paris.

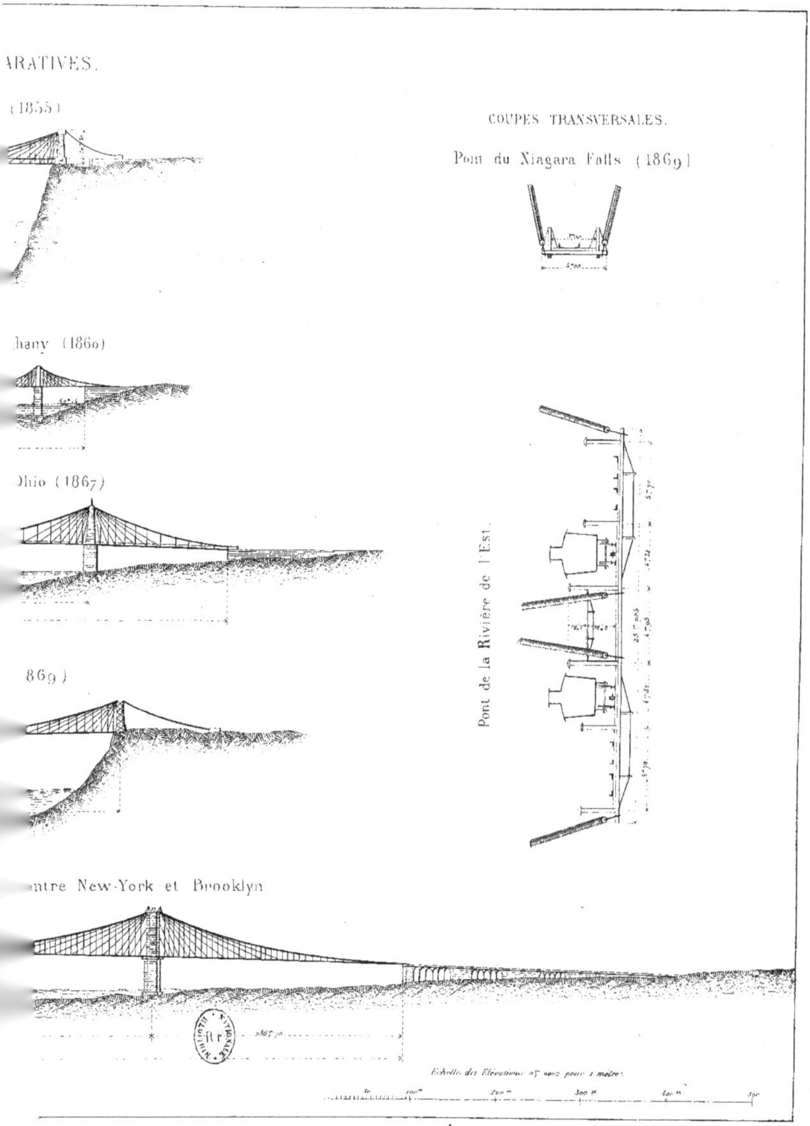

ARATIVES.

(1855)

COUPES TRANSVERSALES.

Pont du Niagara Falls (1869)

hany (1860)

Ohio (1867)

Pont de la Rivière de l'Est.

869)

entre New-York et Brooklyn

Echelle des Elévations 0,5 mm pour 1 mètre.

Lith. Traillery 3, rue Fontaine

PONT À DEUX ÉTA

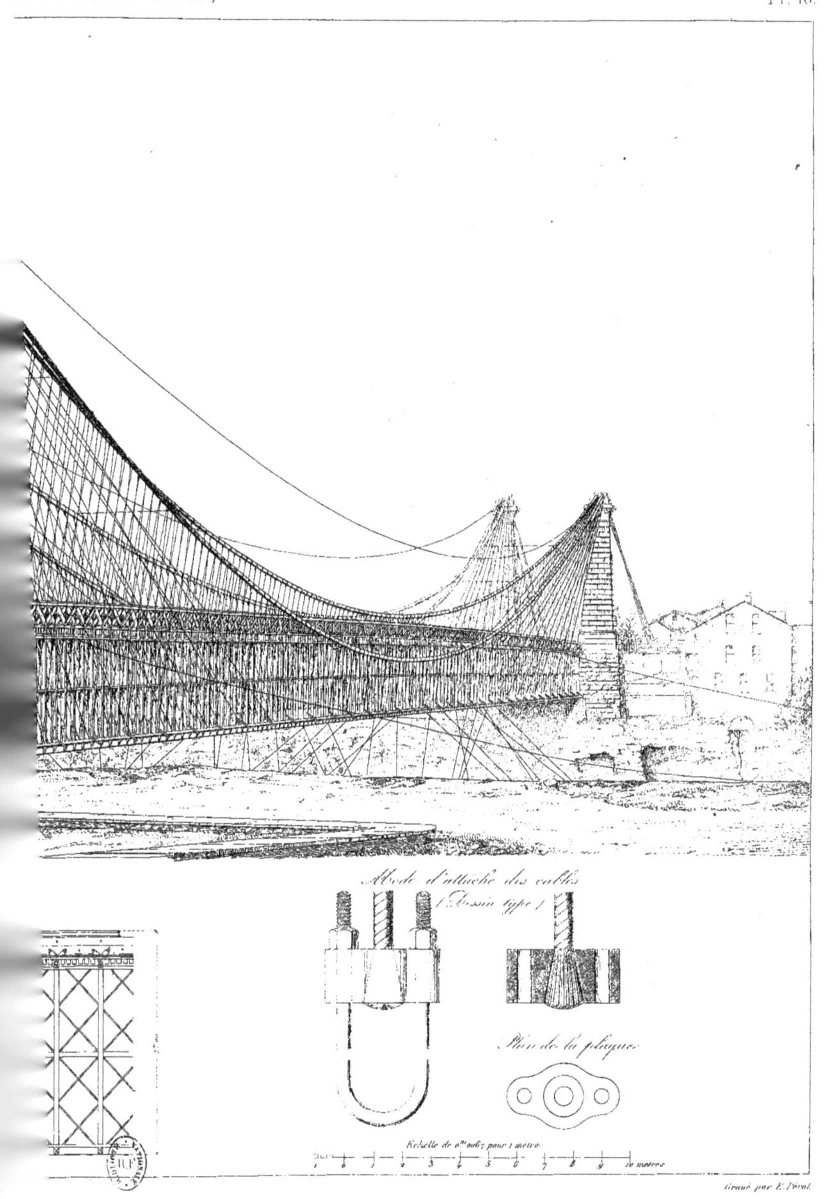

Gravé par E. Pérot

PONT

SUPPORT DES CABLES ET DES HAUBANS.

Fig. 2. Élévation latérale.

Fig. 3. Coupe transversale.

Fig. 4. Mode d'attache des Câbles.

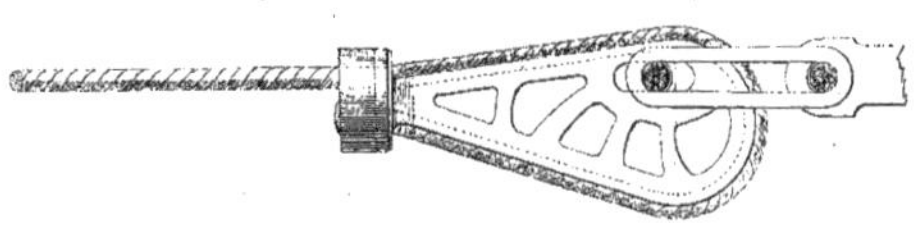

Fig. 5. Élévation partielle.

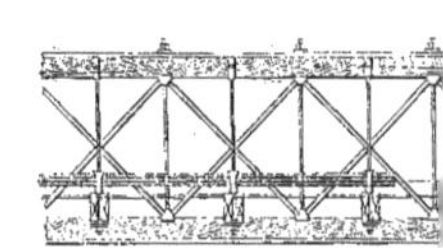

Gravé chez A. Chenevau, Paris.

FALLS.

RIVE DU TABLIER.

nsversale. Fig. 7. Élévation. Fig. 8. Coupe transversale.

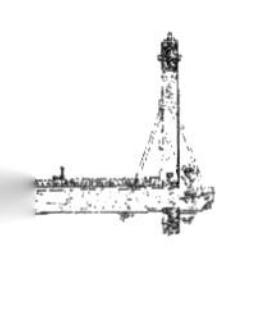

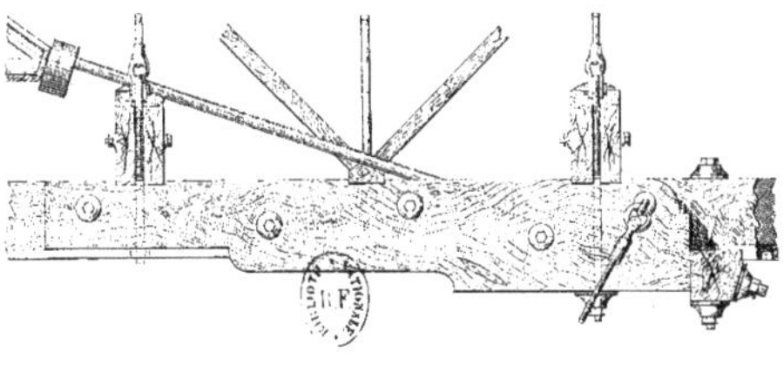

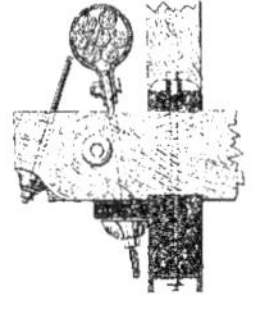

Extrait du journal l'Engineering (1869).

Imp. Becquet & Cie rue Fontaines 5 Paris

PONTS EN CONSTRUCTION

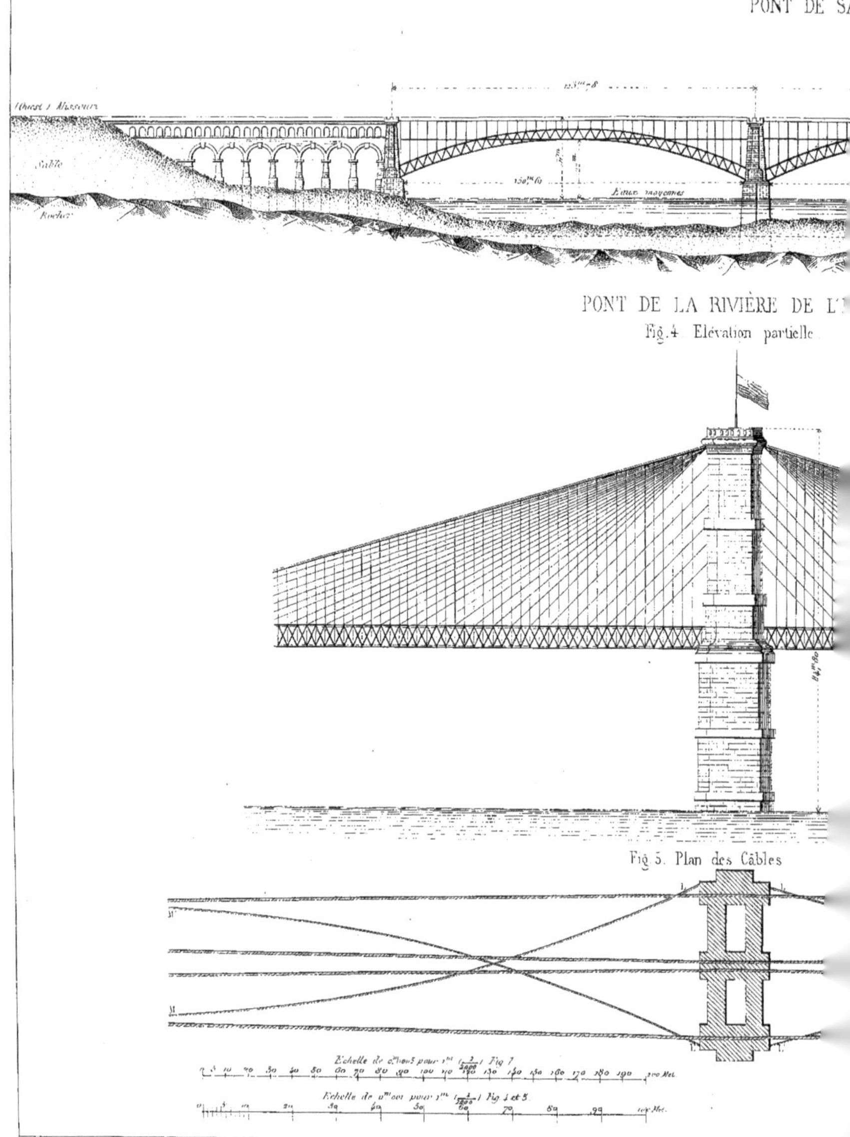

Gravé chez A. Chenevea[u] Paris

ERSTRUCTURES PROJETÉES

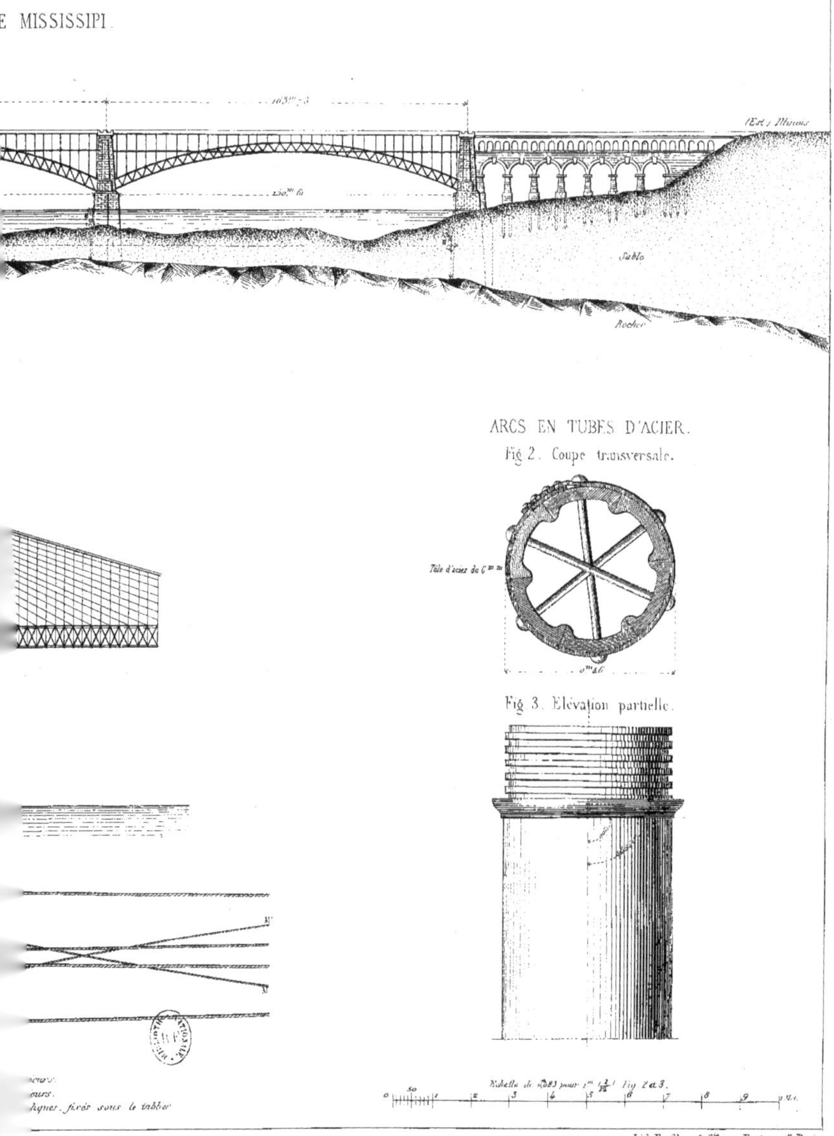

Lith. Fraillery & Cie rue Fontanes, 3, Paris

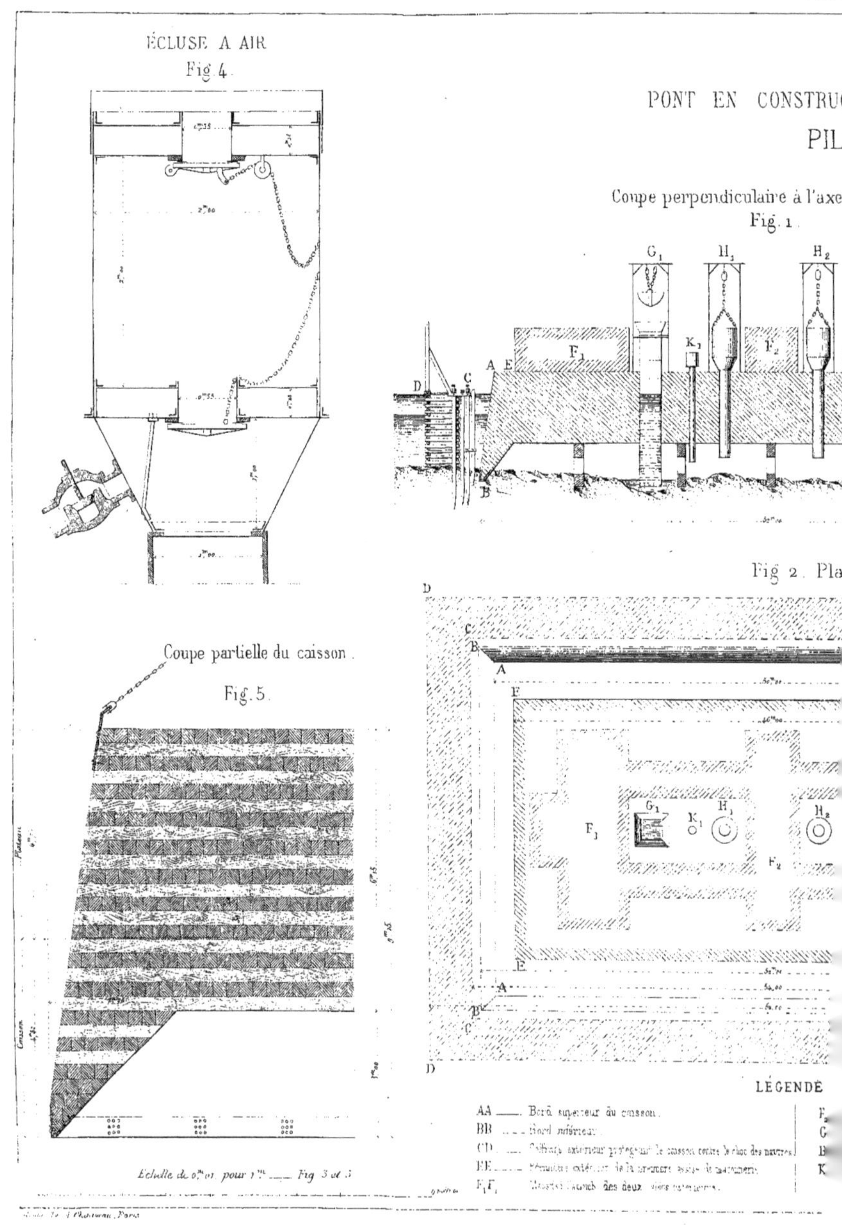
FONDATIO
ÉCLUSE A AIR
Fig. 4.
PONT EN CONSTRUC
PILE
Coupe perpendiculaire à l'axe
Fig. 1.
Coupe partielle du caisson.
Fig. 5.
Fig. 2. Pla
LÉGENDE
AA —— Bord supérieur du caisson.
BB - - - Bord inférieur.
CD —— Coffrage extérieur protégeant le caisson contre le choc des navires.
Echelle de 0m01 pour 1m —— Fig. 3 et 5

R LA RIVIÈRE DE L'EST.

KLYN.

PUITS D'EXTRACTION DES DÉBLAIS.

Fig. 3.

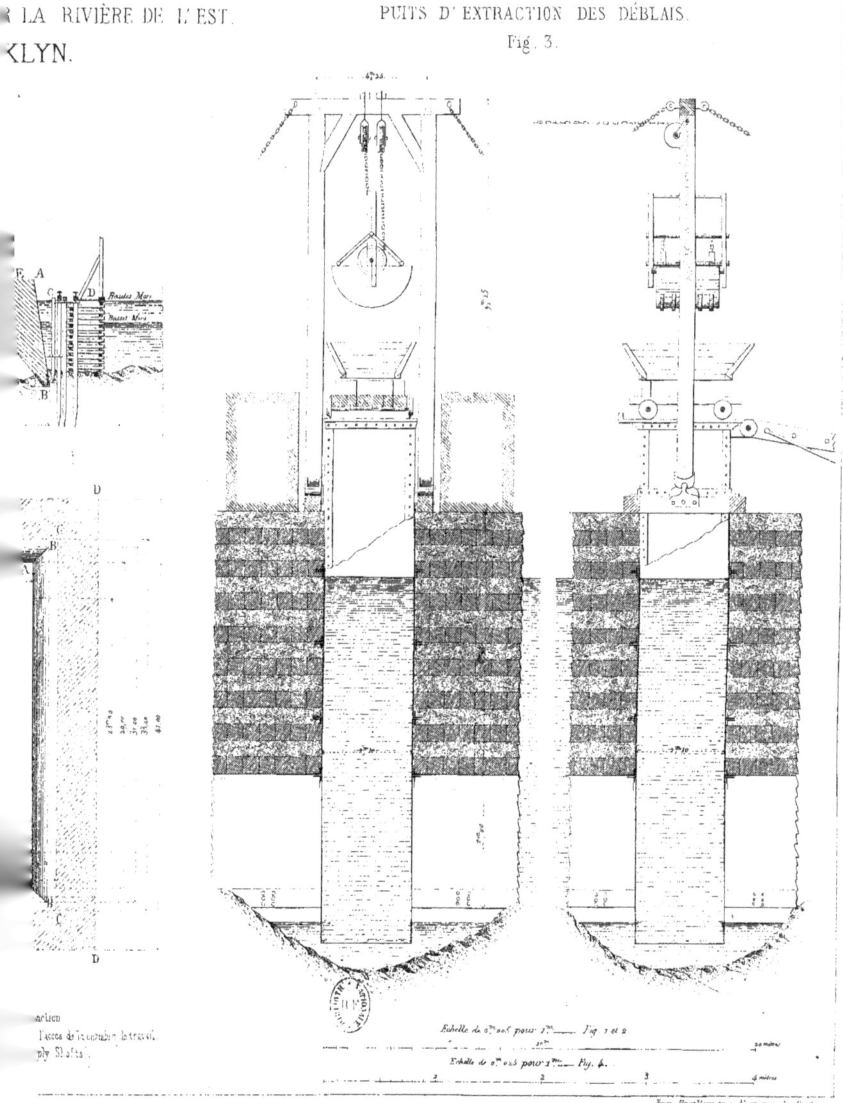

Imp. Fraillery, rue Foyatier, 3, Paris.

FONDATIO

PONT EN CONS

PILE DE NEW-YORK.

ÉCLUSES A AIR

Fig. 1._Demi-Élévation — Fig. 2._Demi-Coupe parallèlement à l'axe du pont.

Fig. 4._Coupe

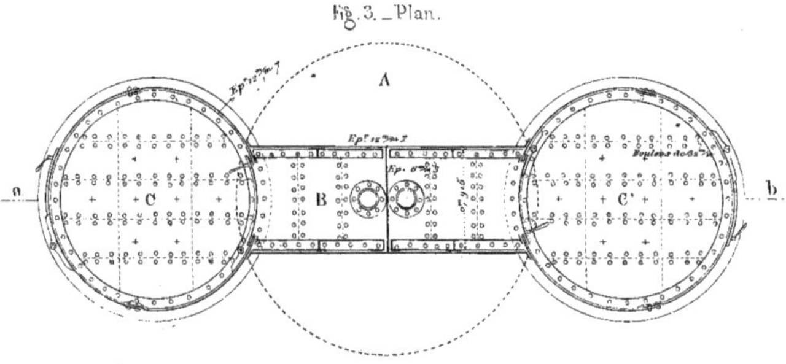

Fig. 3._Plan.

Echelle de 0m,002 pour 1m_Fig 6 et 7

Echelle de 0m,02 pour 1m_Fig 1, 2, 3, 4, 5, 8 et 9

$G_1 G_2$ Puits d'extraction (Water Shafts)

$H_1 H_2$ Écluses à air : (Air locks)

K... Puits alimentaires (Supply Shafts)

L Tuyaux divers de 89 m/m.

Gravé par A. Chenesseau _ Paris

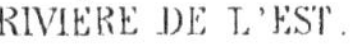

RIVIÈRE DE L'EST.

rojetées en Septembre 1870.

pont sur l'axe des puits.

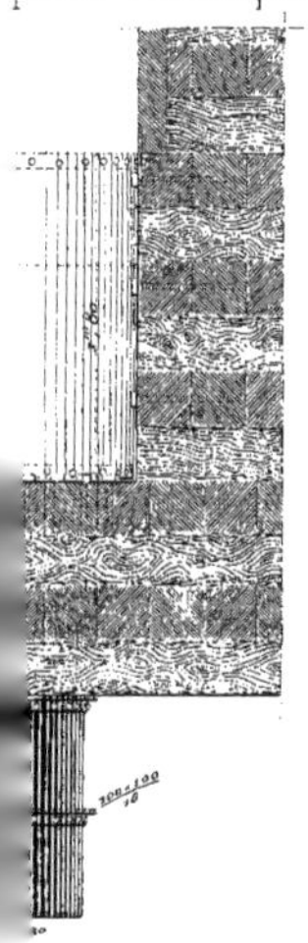

Fig. 5_Élévation perpendiculaire à l'axe du pont.

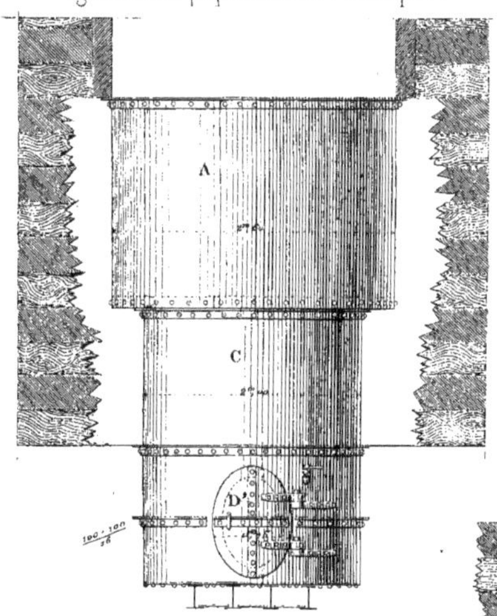

Fig. 8_ PUITS DESTINÉS A L'INTRODUCTION FINALE DES MATÉRIAUX.

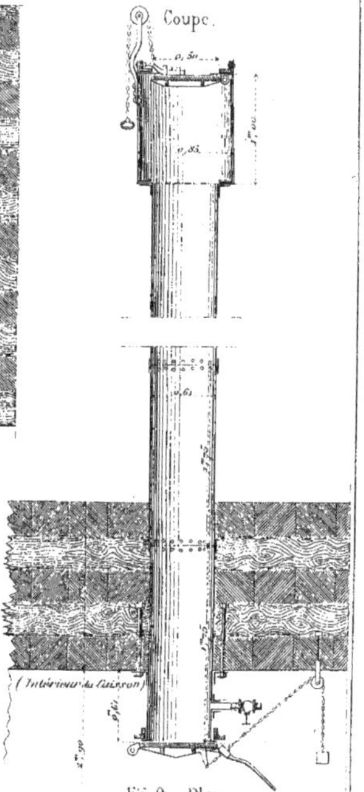

Fig. 9_ Plan.

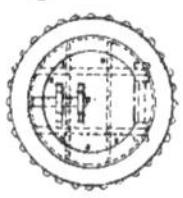

Fig. 6_ PLAN GÉNÉRAL DE LA PILE.

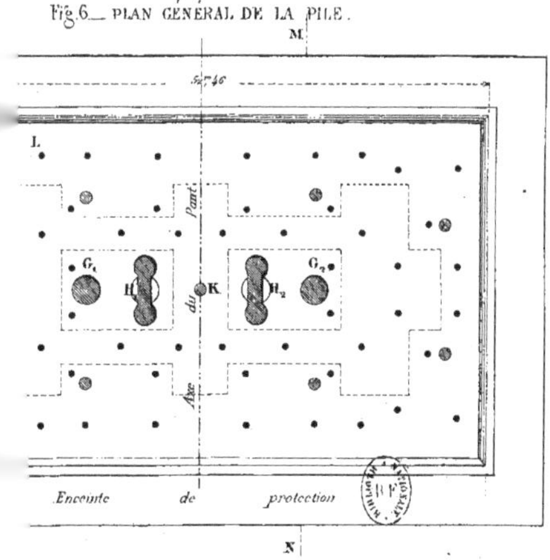

A...... Tambour circulaire d'accès en tôle.

B...... Couloir rectangulaire ouvert par le haut et donnant par deux portes D, D', sur les écluses à air.

C C' Écluses à air cylindriques munies de portes verticales

E..... Tirants reliant les deux écluses.

F.F... Tuyaux d'introduction de l'air comprimé.

$\alpha\beta$ Plaque de tôle revêtant à l'intérieur le plafond du caisson.

$\alpha\gamma$.. Épaisseur primitive du plafond en bois massif.

$\gamma\epsilon$ Massif supplémentaire en bois et béton.

Imp. Fraillery [illegible]

FONDATI

PONT EN CONSTRUCTION

P

APPAREILS EMPLOYÉS POUR LE FON

A... *Caisson.*

B... *Pieux de guidage.*

C... *Poutres reliant ces pieux.*

D... *Verrins destinés à maintenir le caisson de niveau jusqu'à ce qu'il atteigne le fond de sable.*

E... *Ponton.*

F... *Pompes à air.*

G... *Machines motrices des Pompes à air.*

H... *Tuyaux d'introduction de l'air comprimé.*

I... *Tuyaux d'envoi de l'eau aux pompes à sable.*

1 2 3 4 5

lith. Trillery 3, rue Fontanes.

SUR LE MISSISSIPI.

T.

ET L'EXÉCUTION DES MAÇONNERIES.

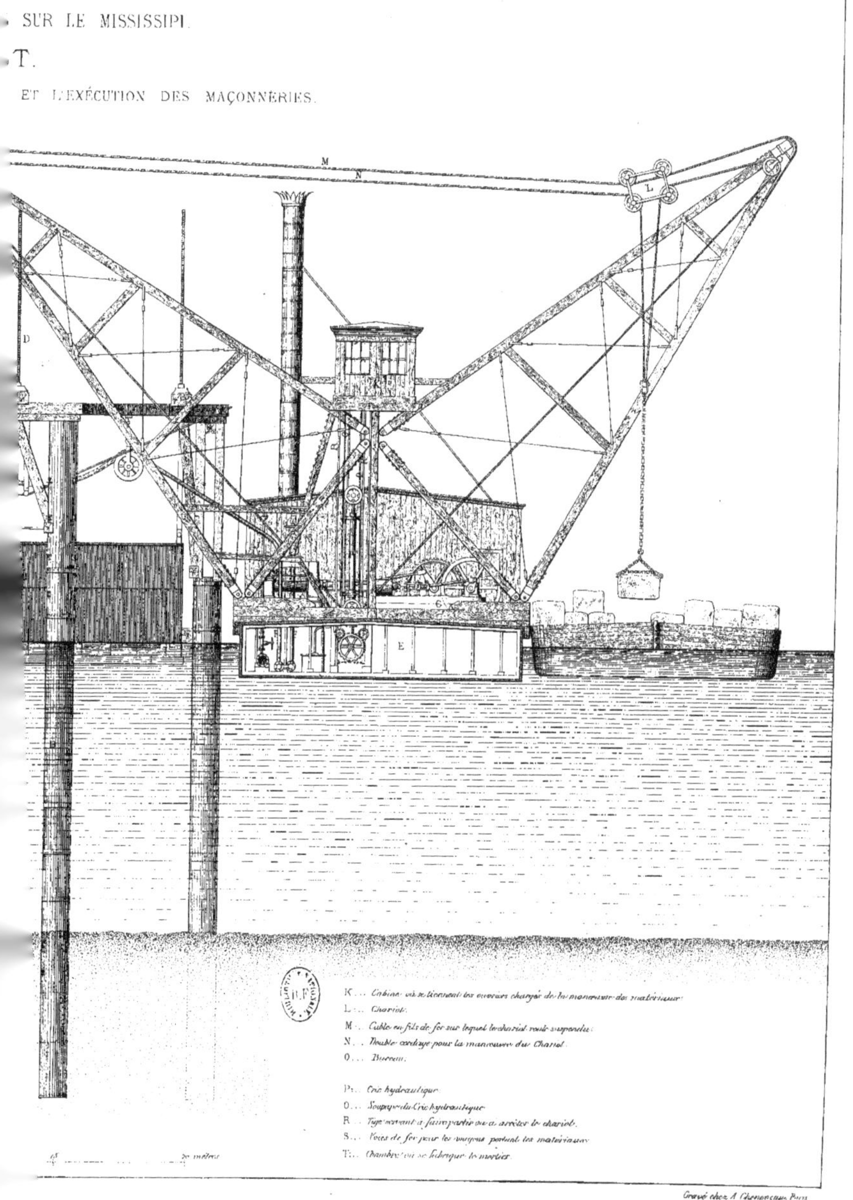

Gravé chez A. Chenonceau, Paris

FONDATIONS A L'AIR COMPRIME

PONT DE SAINT-LOUIS SUR LE MISSISSIPI.

PILE DE L'EST (Construite en 1870)

Coupe parallèle à l'axe du Pont, sur l'axe du Puits central.

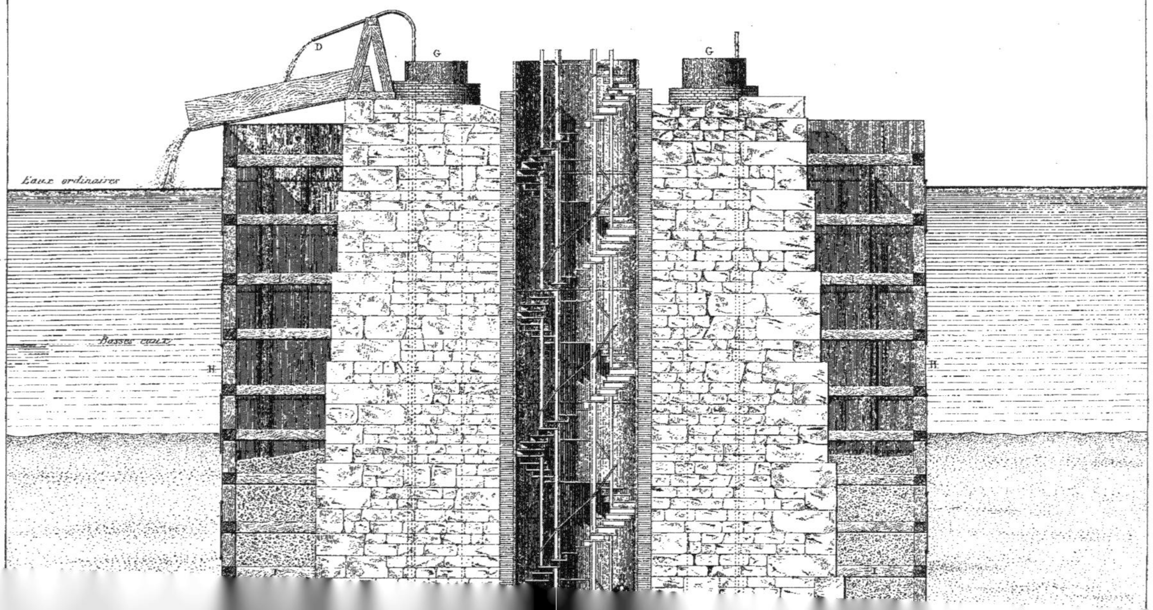

Hautes eaux de 1844.

Eaux ordinaires

Basses eaux

D

G

G

H

H

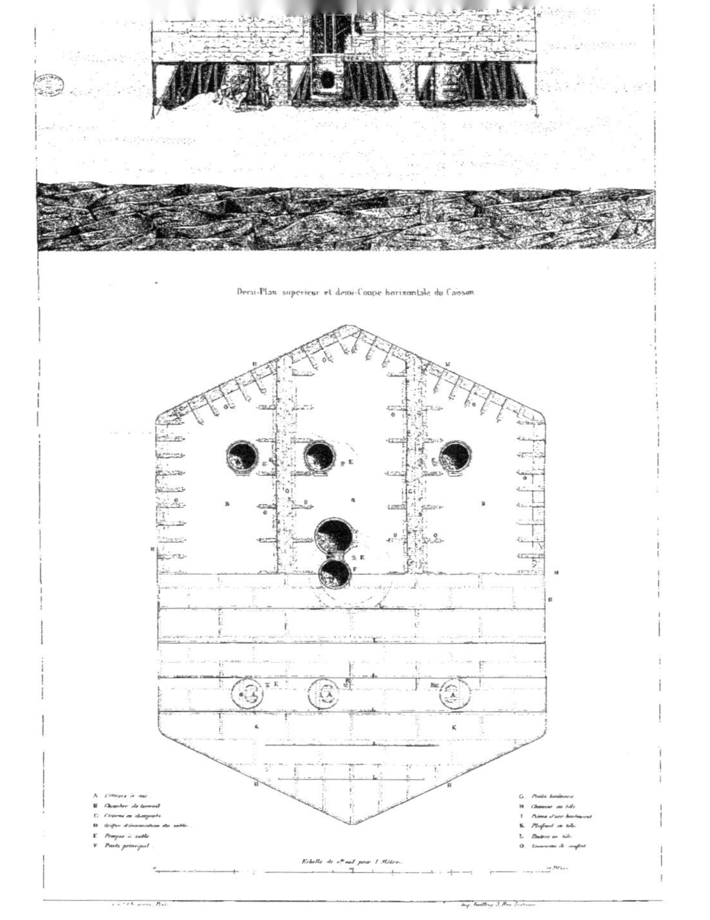
Demi-Plan supérieur et demi-Coupe horizontale du Caisson

Fig. 1._Coupe sur **a.b.** perpendiculaire à l'axe de la rivière.

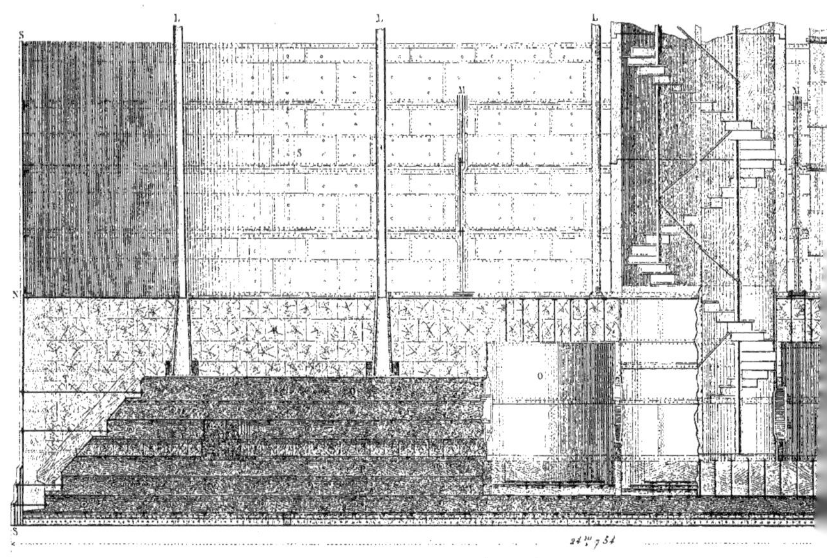

Fig. 2._Coupe brisée suivant c.d.e.f.g.h.j.k.l.m.n.o.

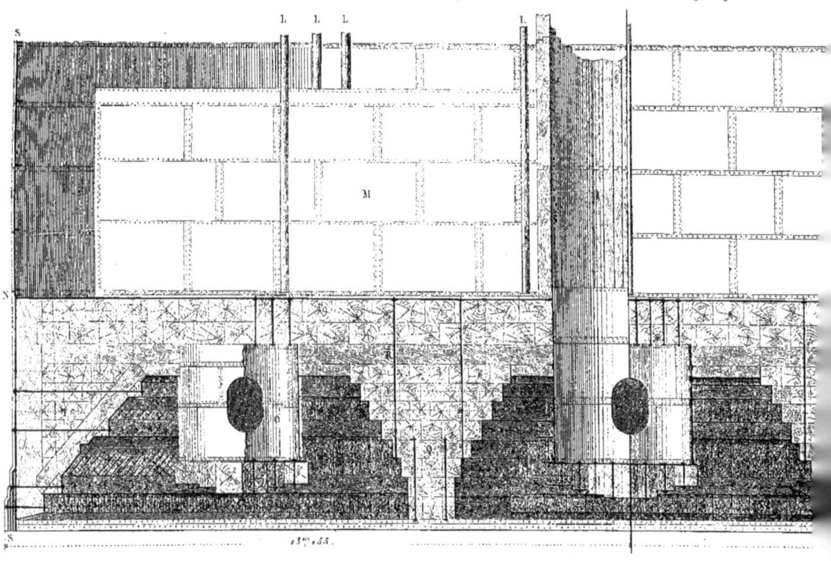

Gravé par A. Chenevau. _ Paris.

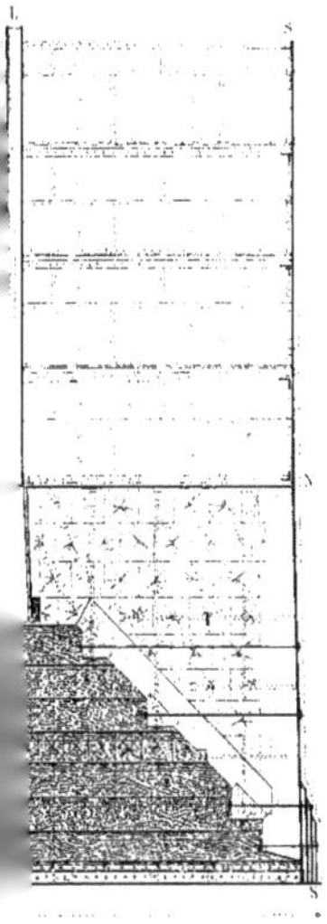

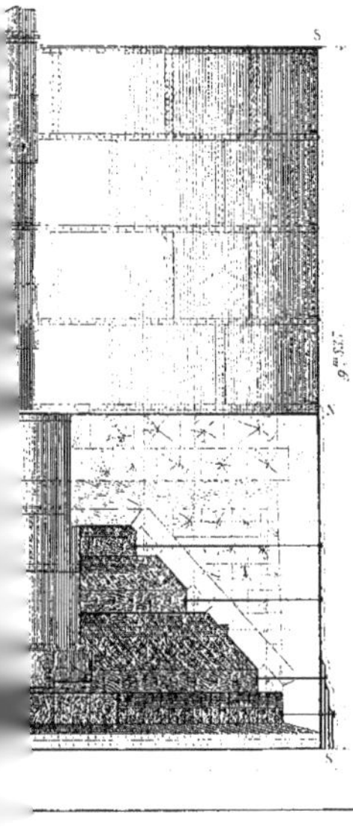

PONT DE SAINT-LOUIS SUR LE MISSISSIPI

CULÉE DE L'EST

Dispositions projetées en 1870.

J Puits principal.
K Puits latéraux.
L Puits logeant les tuyaux qui servent à l'introduction de l'eau et à l'extraction du sable.
M Poutrelles en fer.
NN Plafond en tôle.
O Écluses à air.
P Chambre de travail.
Q Poutrelles de bois.
R Plafond en bois.
SS Chemise en tôle.
T Parois en bois.

Échelle de 0m0112 pour 1 Mètre _ Fig. 1 et 2. — 10 Mètres.

Échelle de 0m0049 pour 1 Mètre _ Fig. 3. — 22 Mètres.

Fig. 3 _ Demi-plan supérieur et demi-coupe horizontale du Caisson.

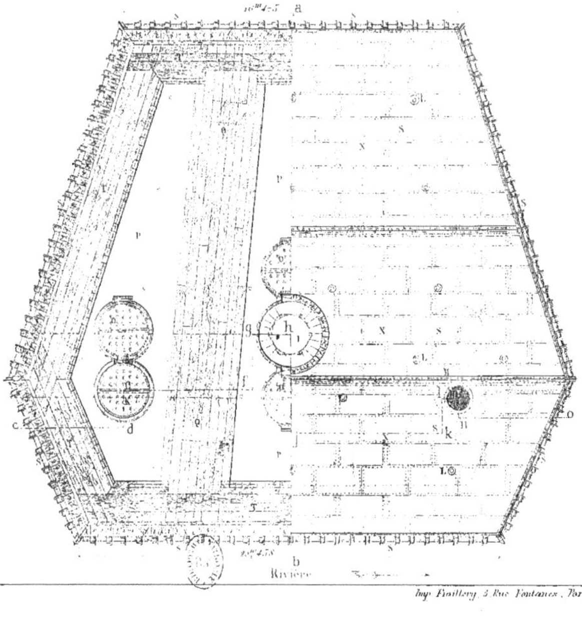

Imp. Fraillery, 3 Rue Fontanes, Paris.

FONDATIC

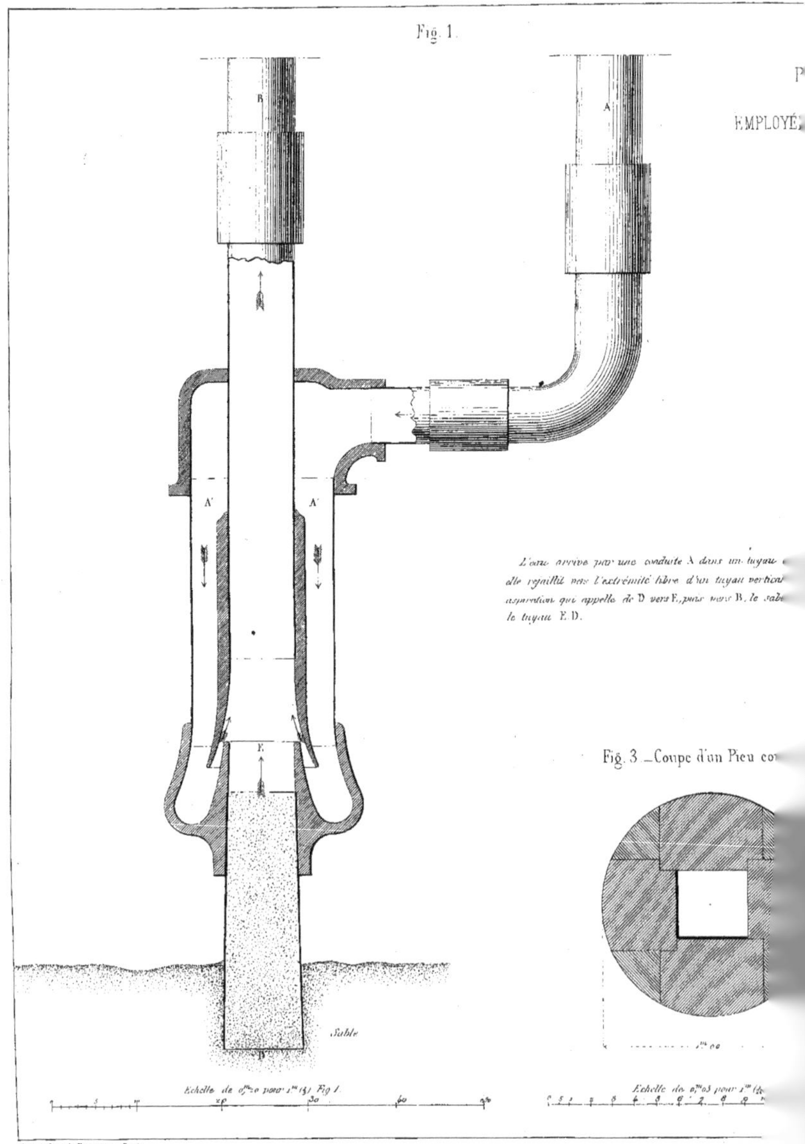

Gravé chez A. Chenevau. Paris.

LOUIS.

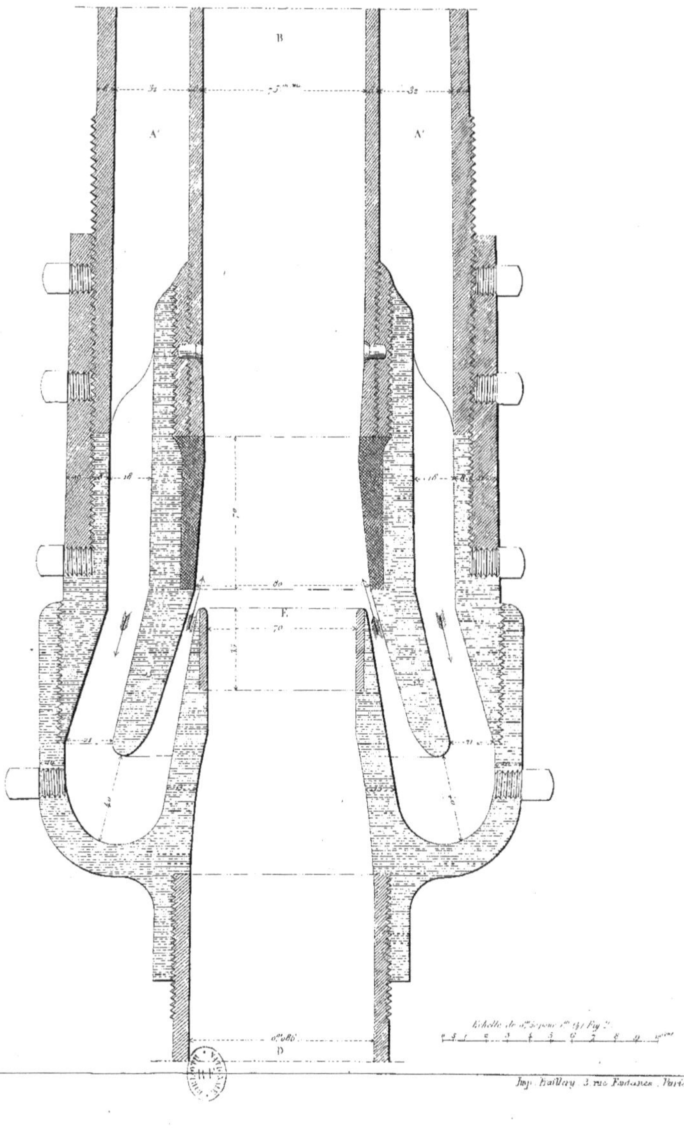

Fig. 2

Imp. Bailly, 3 rue Fontanes, Paris.

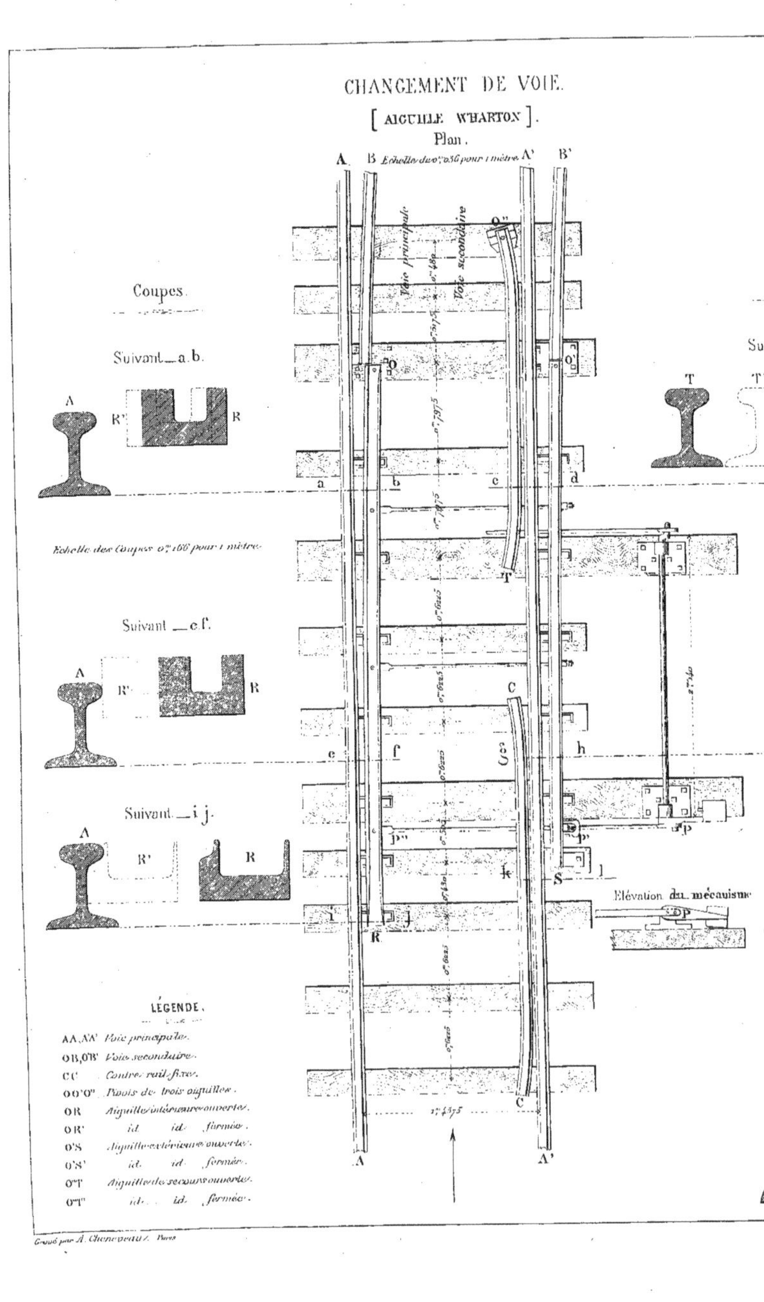

Gravé par A. Cheneveaux, Paris

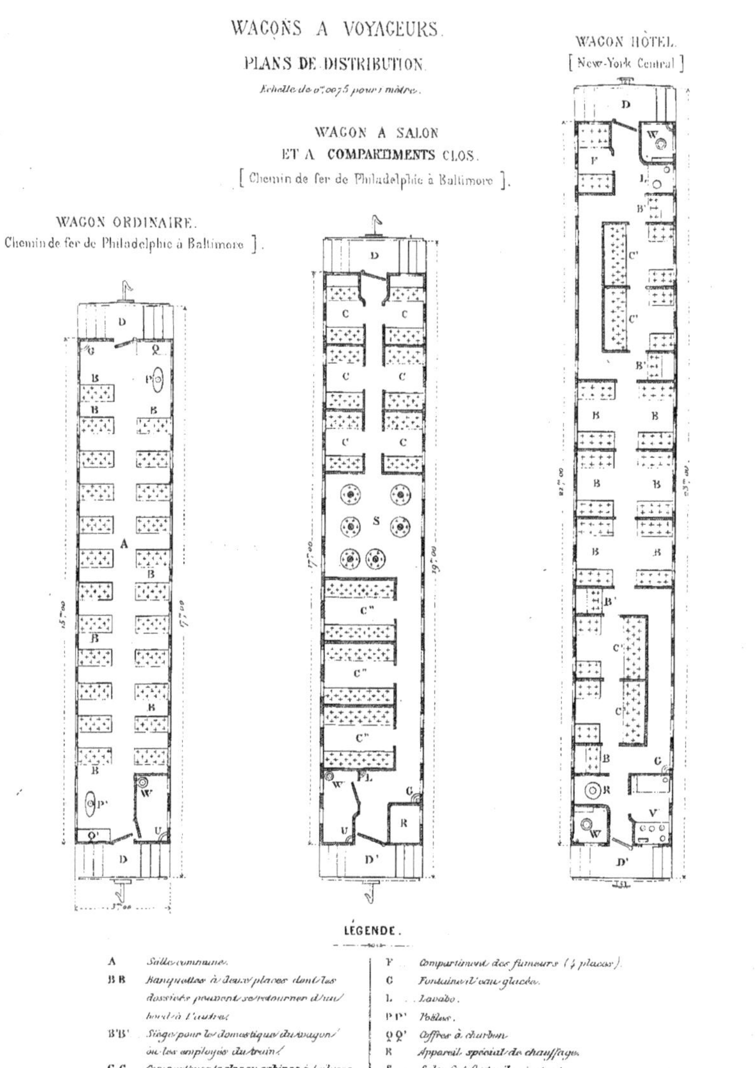

LÉGENDE.

A	Salle commune.	F	Compartiment des fumeurs (4 places).
B B	Banquettes à deux places dont les dossiers peuvent se retourner d'un bord à l'autre.	G	Fontaine d'eau glacée.
		L	Lavabo.
		P P'	Poêles.
B'B'	Siège pour le domestique du wagon ou les employés du train.	Q Q'	Coffres à charbon.
		R	Appareil spécial de chauffage.
C C	Compartiments clos ou cabines à 4 places.	S	Salon à 5 fauteuils pivotants.
C'C'	Compartiments à 5 places.	U	Urinoirs.
C"C"	Compartiments clos à 6 places.	V	Cuisine.
D D'	Paliers extérieurs.	W	Water-closet.

Imp. Fraillery 3, r. Fontanes.

Locomotive Wagon

1º Vue Extérieure

Locomotive

2º Coupe longitudinale

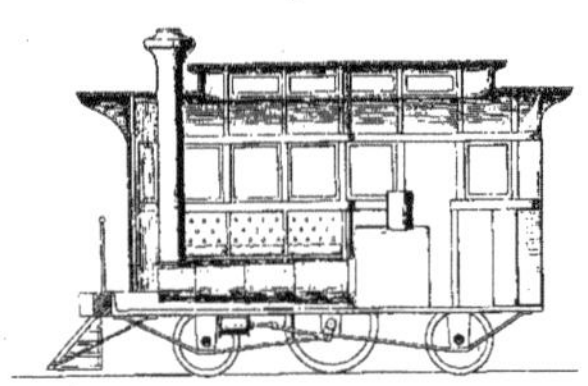

3º Coupe transversale

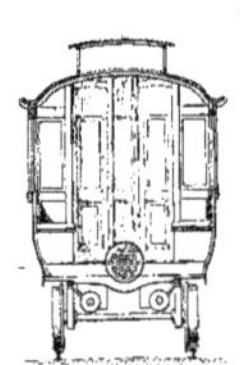

4º Plan

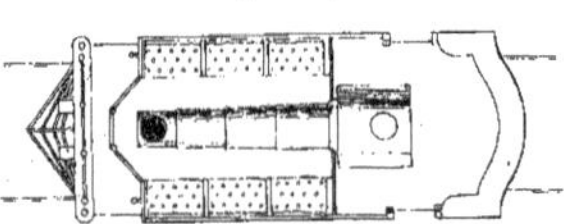

Omnibus ordinaire

à New-York

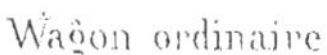

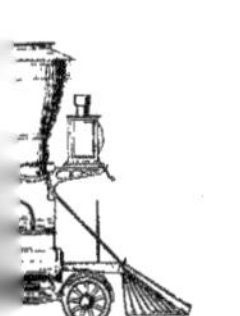

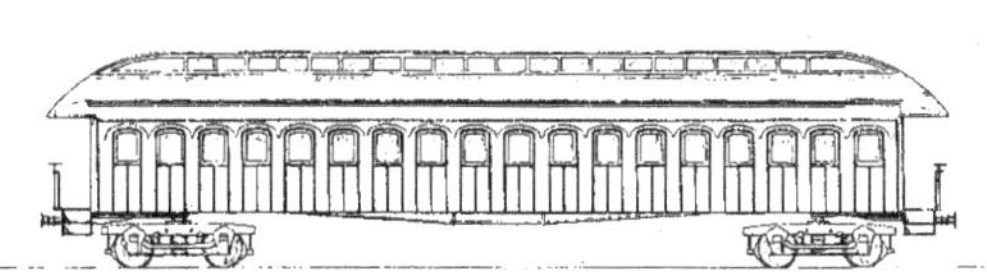

Truck de Wagons

le

2° Élévation latérale

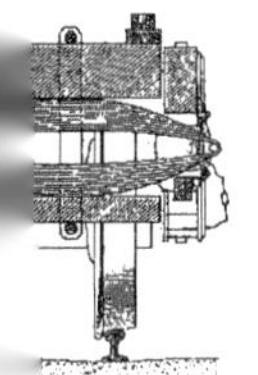

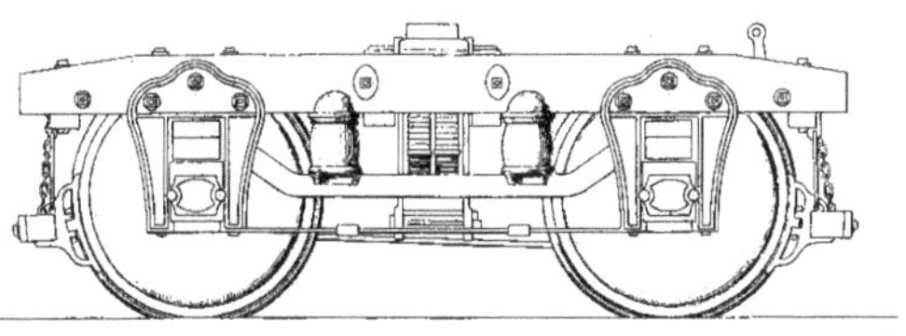

3° Plan

r rails

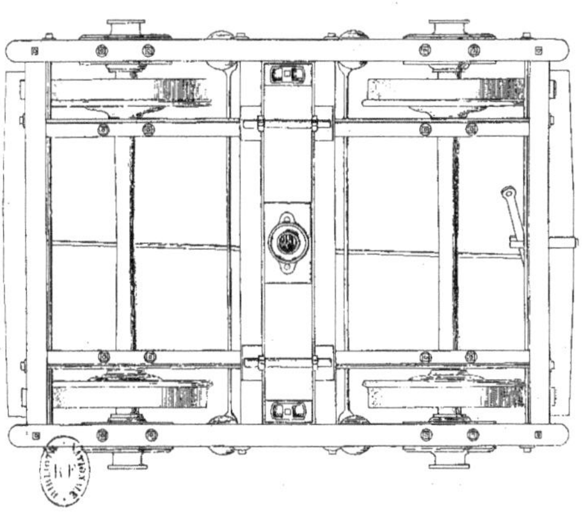

Gravé par E. Pérot.

C

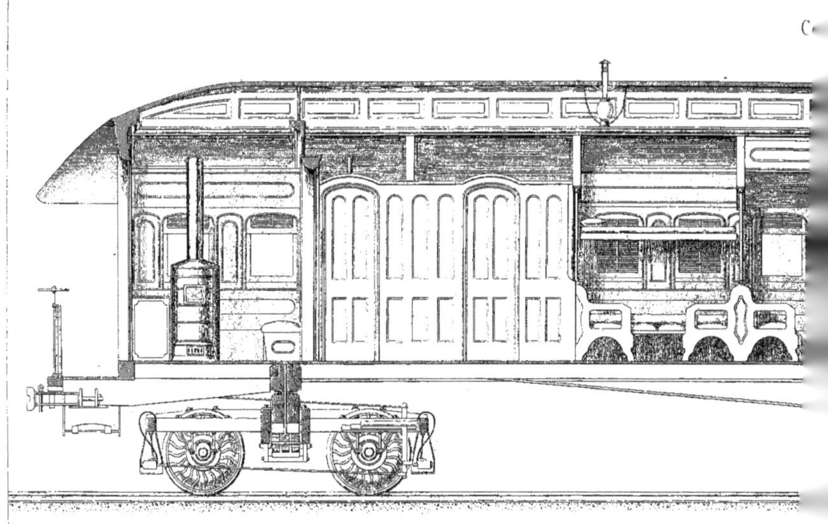

Élévation de bout

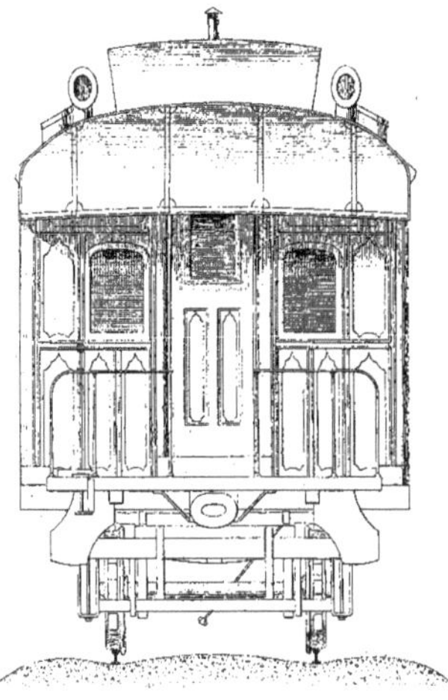

Vue intérieure

le

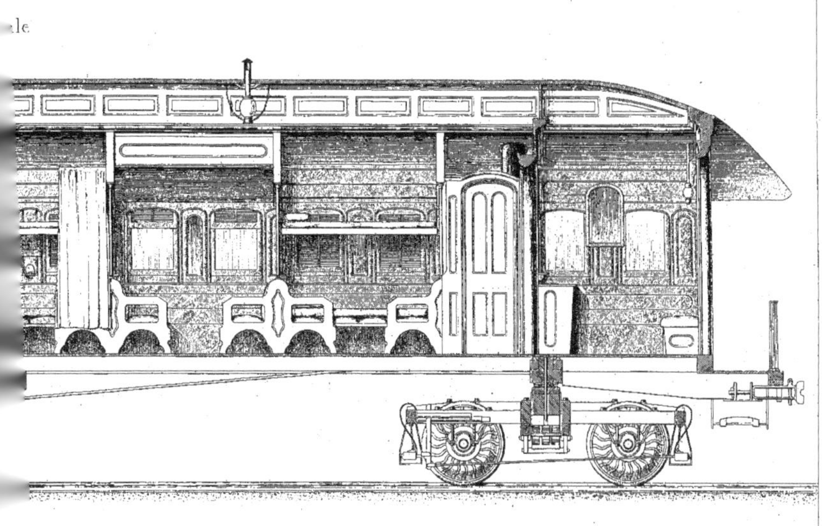

Vue intérieure

Coupe transversale

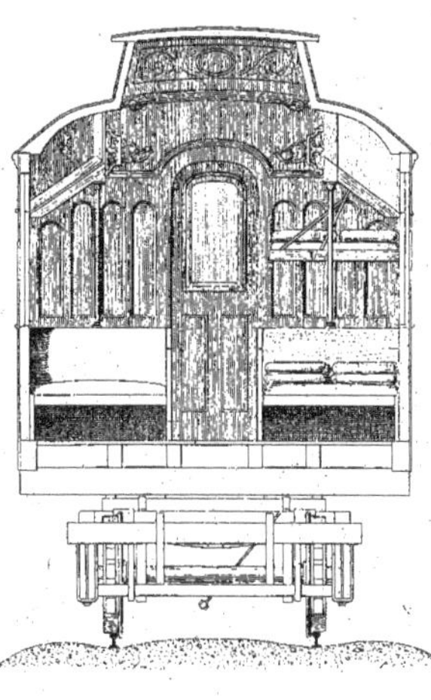

Gravé par E. Pérot

CH

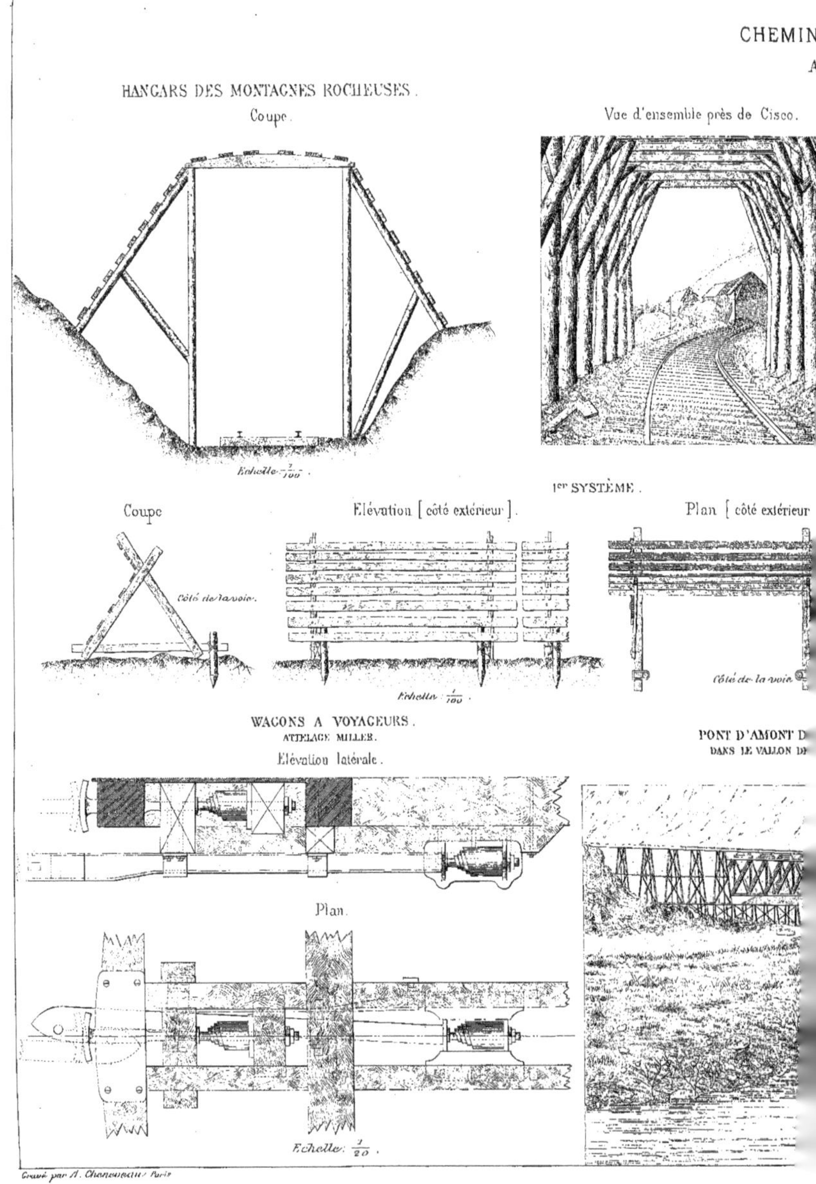

Gravé par A. Chenevrau Paris

CIFIQUE.

E.

TUNNELS DE LA SIERRA NEVADA.

Vue intérieure.

Coupe.

Echelle $\frac{2}{100}$.

2e SYSTÈME.

Plan [côté extérieur].

Élévation [côté extérieur].

Coupe.

Côté de la voie.

Côté de la voie.

Echelle $\frac{1}{100}$.

VUE DE ROCHERS
SUR LE TERRITOIRE D'UTAH.

Imp. Fraillery 3 r. Fontanes

COAL - BREAKER

Appareil pour le cassage et le triage de l'Anthracite

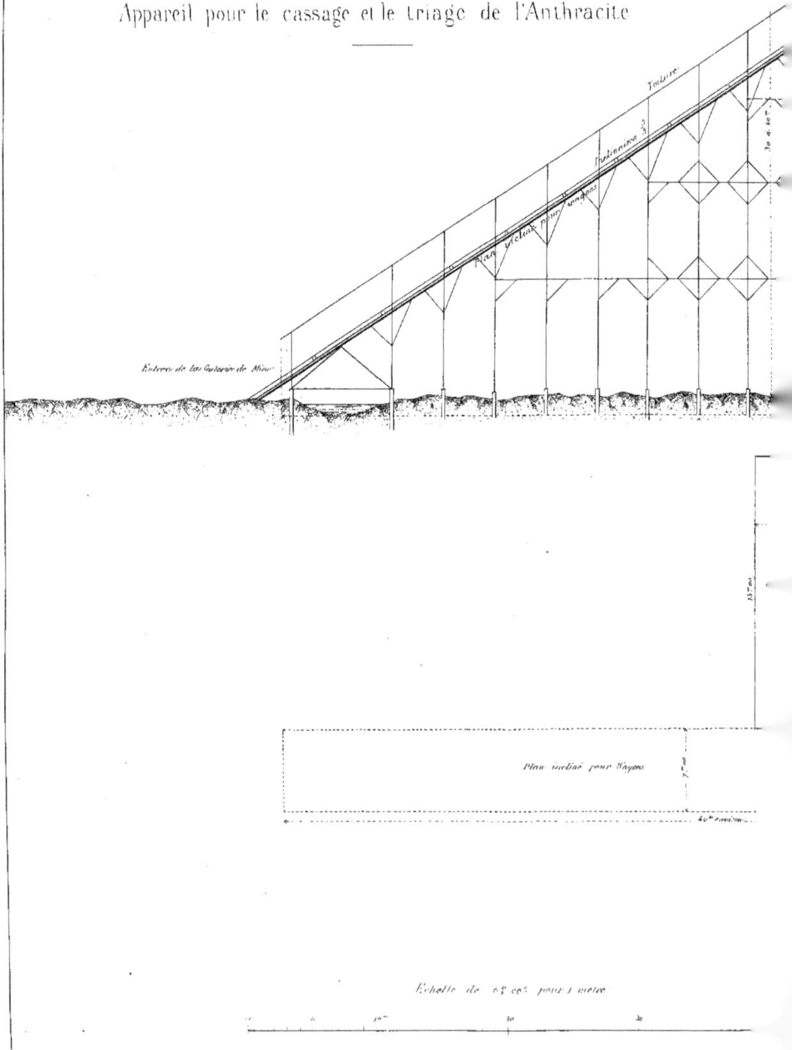

Imp. Fraillery 3, rue Fontanes.

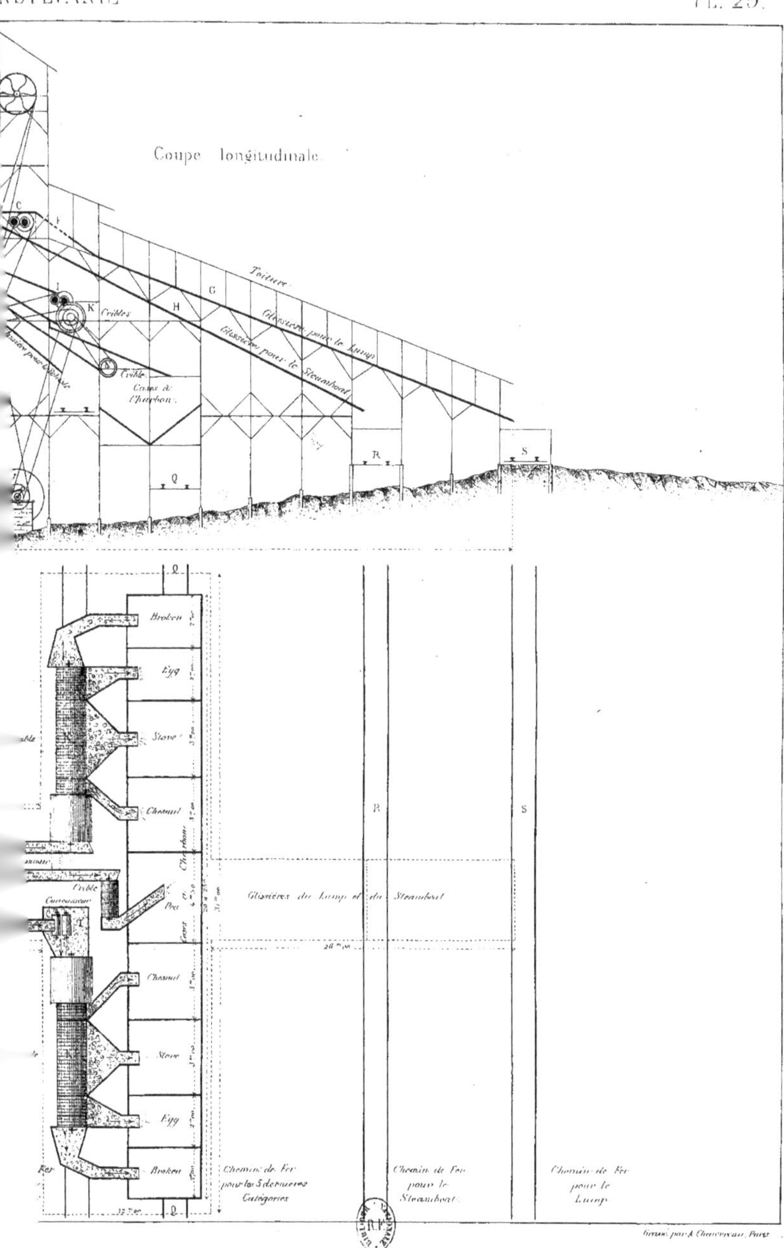
Coupe longitudinale.
Toiture
Glissière pour le Lump
Glissière pour le Steamboat
Cribles
Crible
Caisses à Charbon
Broken
Egg
Stove
Chestnut
Pea
Glissières du Lump et du Steamboat
Chemin de Fer pour les 5 dernières Catégories
Chemin de Fer pour le Steamboat
Chemin de Fer pour le Lump
Gravé par A. Chauveau, Paris

TRANSPORT DES CH

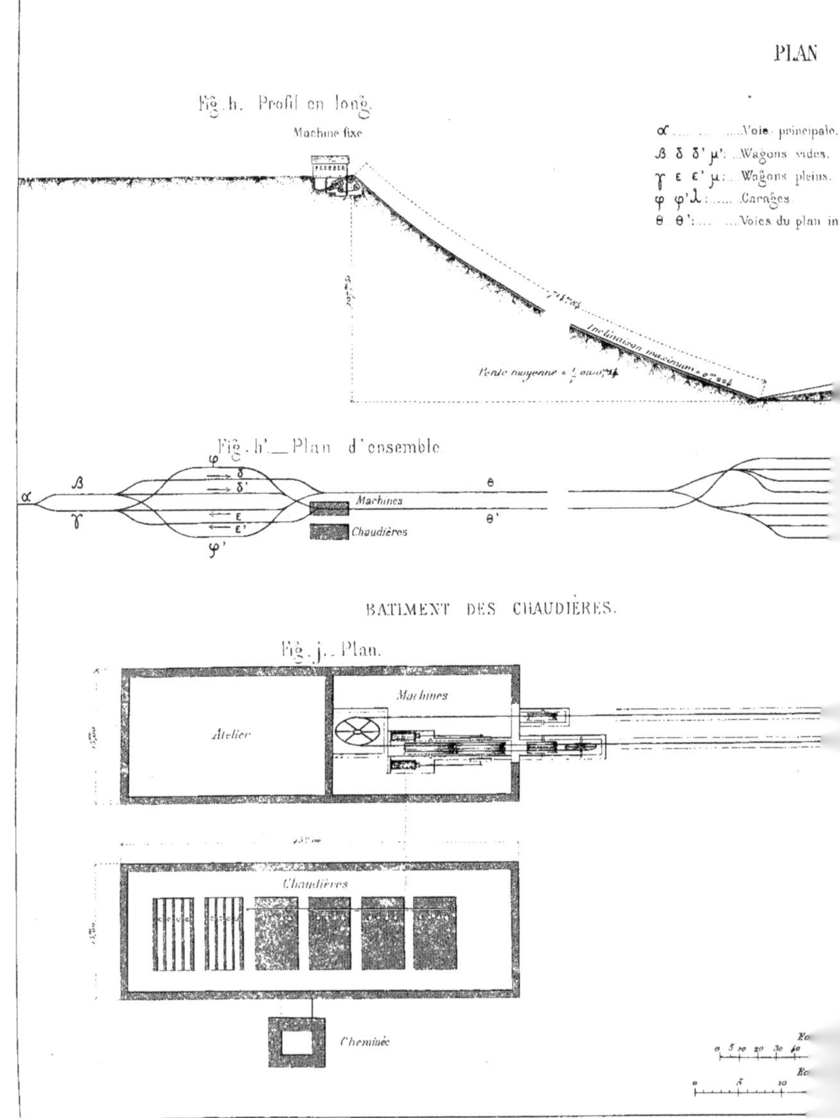

Gravé chez J. Chenevedu Paris

MAHANOY

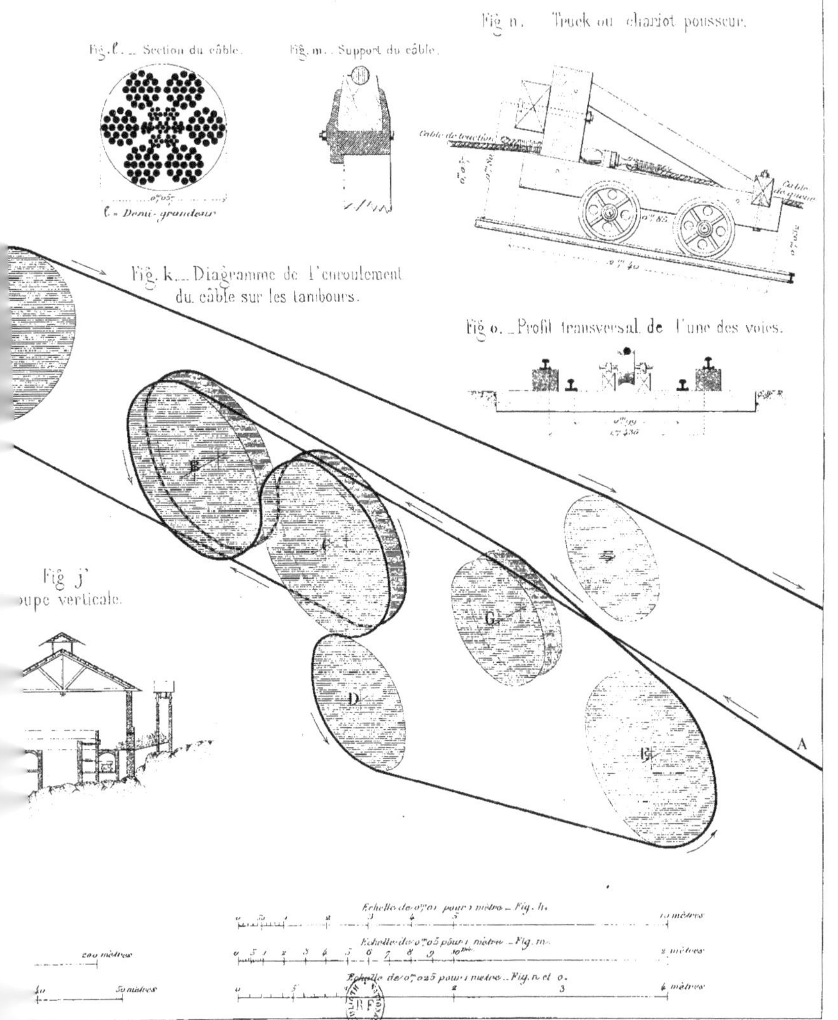

Echelle de 0m,01 pour 1 mètre. Fig. h.

Echelle de 0m,05 pour 1 mètre. Fig. m.

Echelle de 0m,025 pour 1 mètre. Fig. n et o.

PLAN I

MÉCANISME SPÉCIAL DU MOTEUR.

Élévation.

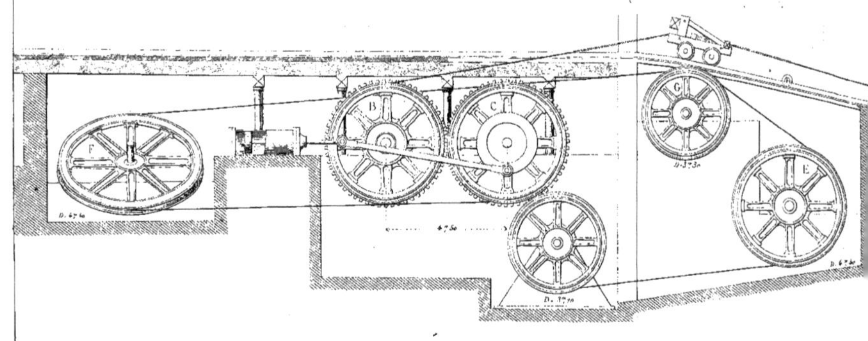

Echelle de 0m,006 pour 1 mètre.

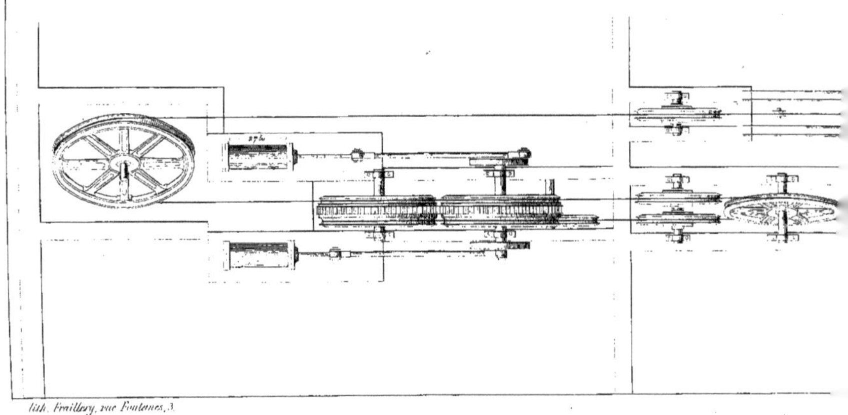

lith. Frailleny, rue Fontanes, 3.

...HANOY

CHAMBRE SOUTERRAINE ET POULIE-TENSEUR AU BAS DU PLAN INCLINÉ.

Élévation.

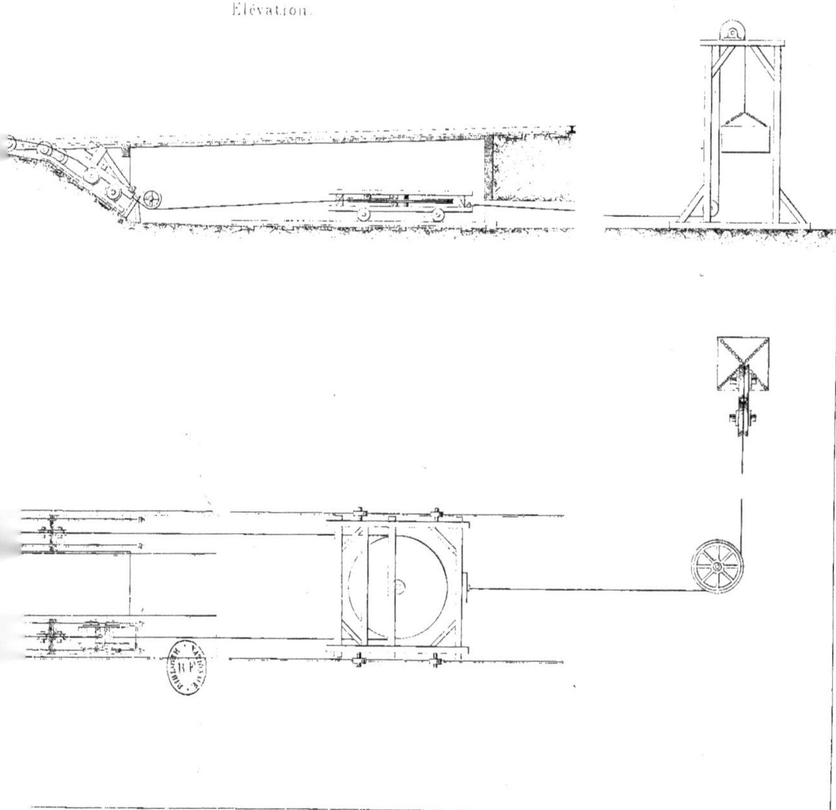

Grand. chez. A. Chenneau, Paris.

TRANSPORT DES

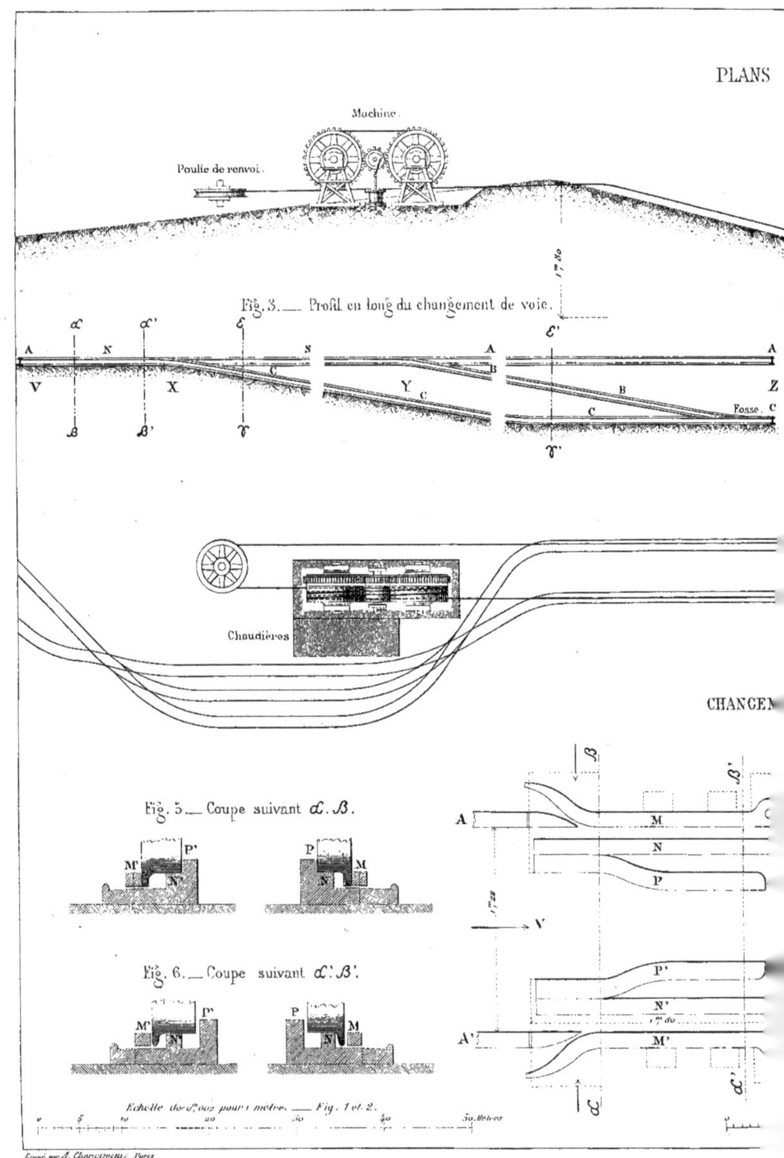

Gravé par A. Chancoureau, Paris

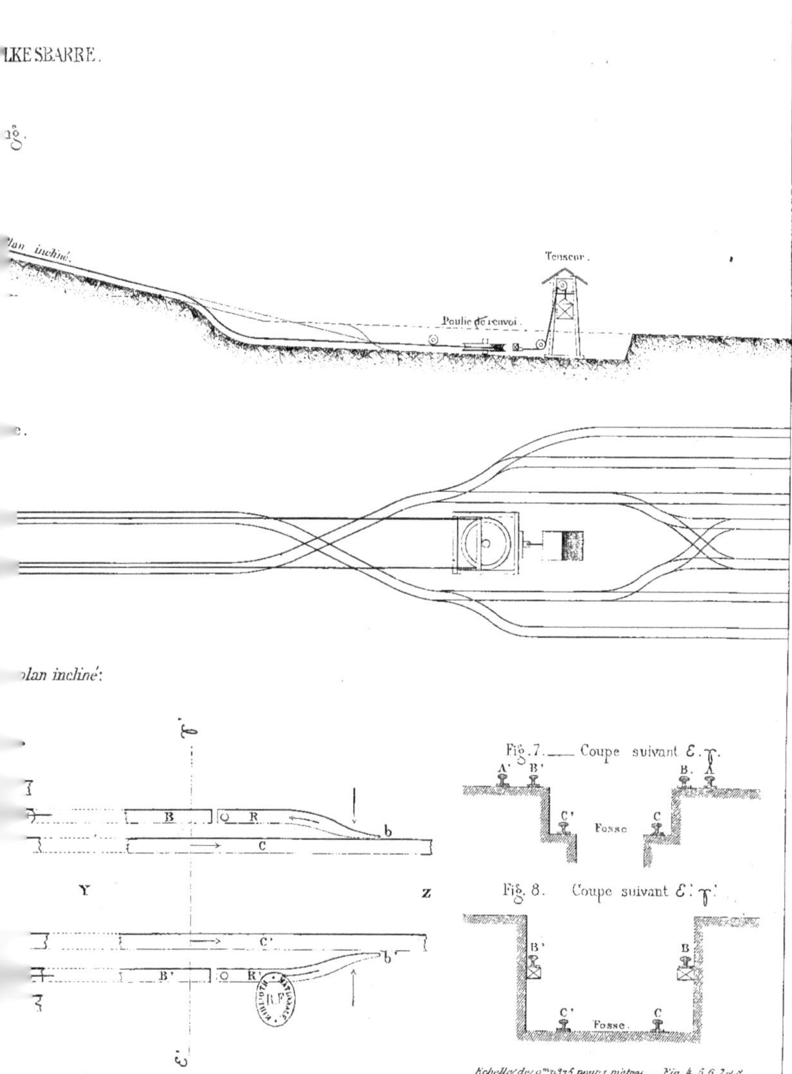

Imp. Tra Vierz 3 r. Fontanes

TRANSPORT DES

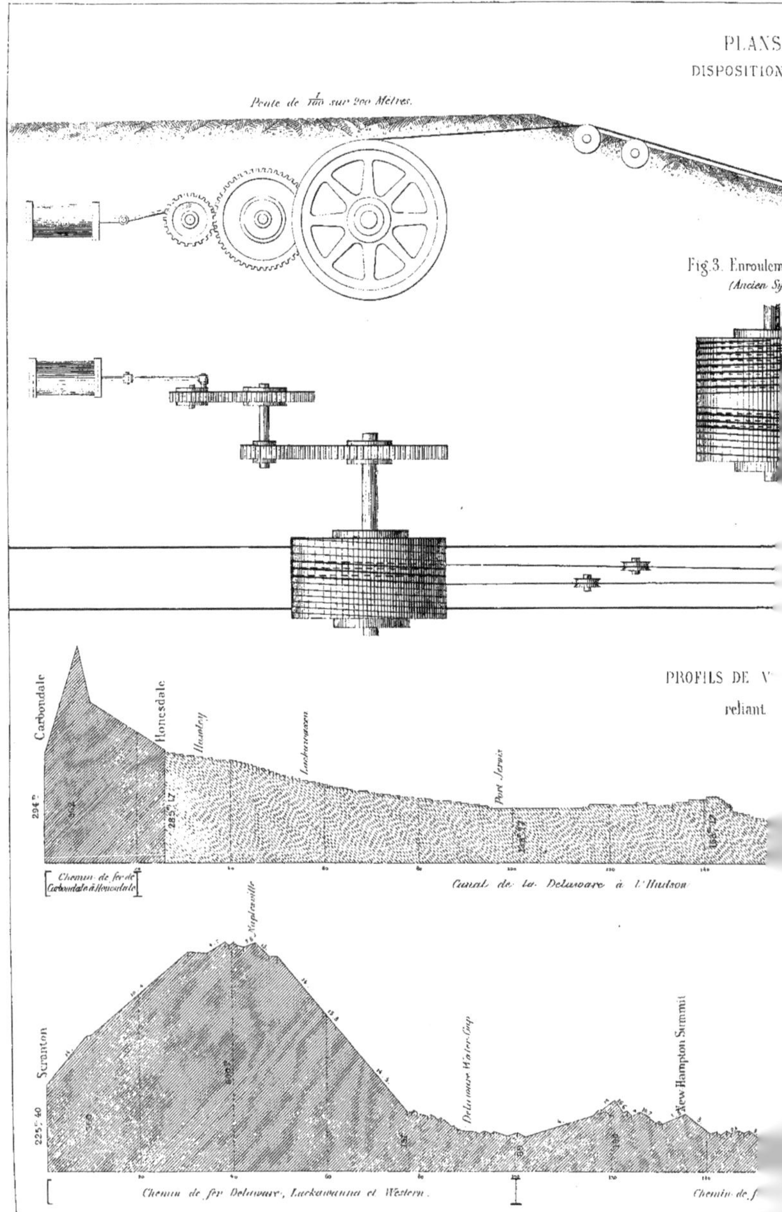

lith. Fraillery 3, rue Fontanes

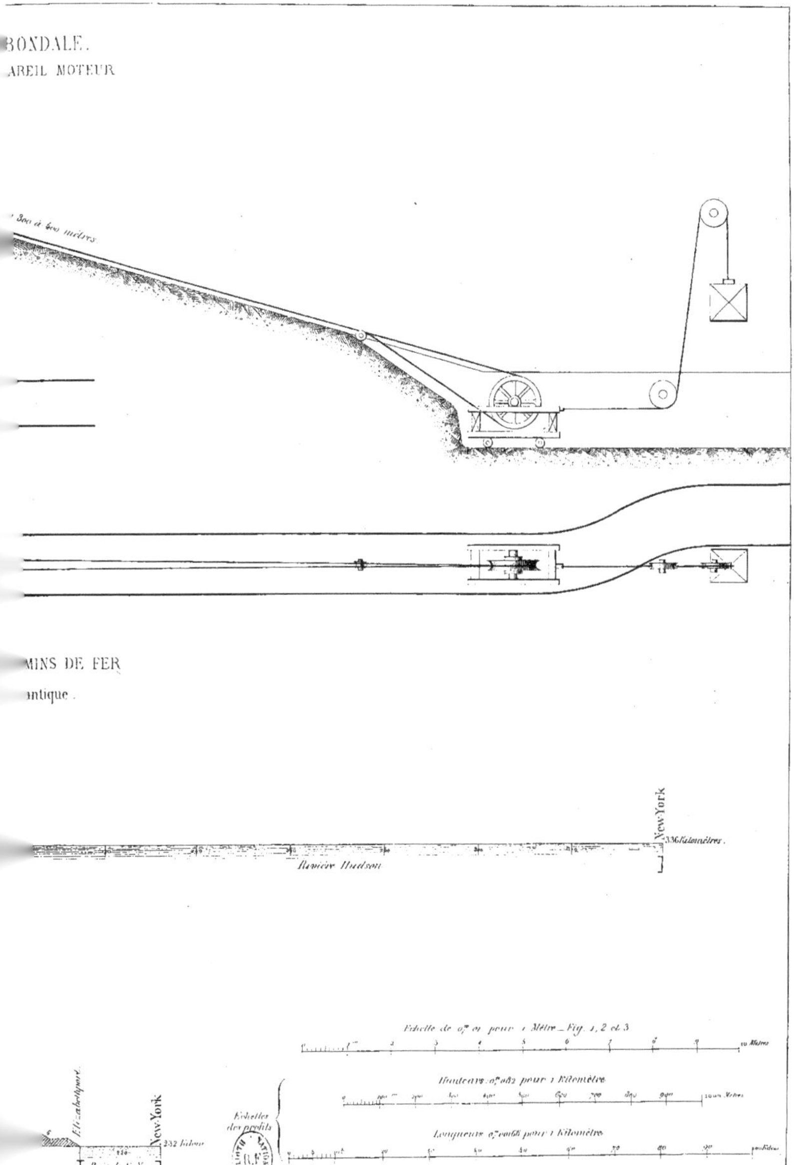

Gravé Chez A Cheneveau Paris.

TRANSPORT DES C

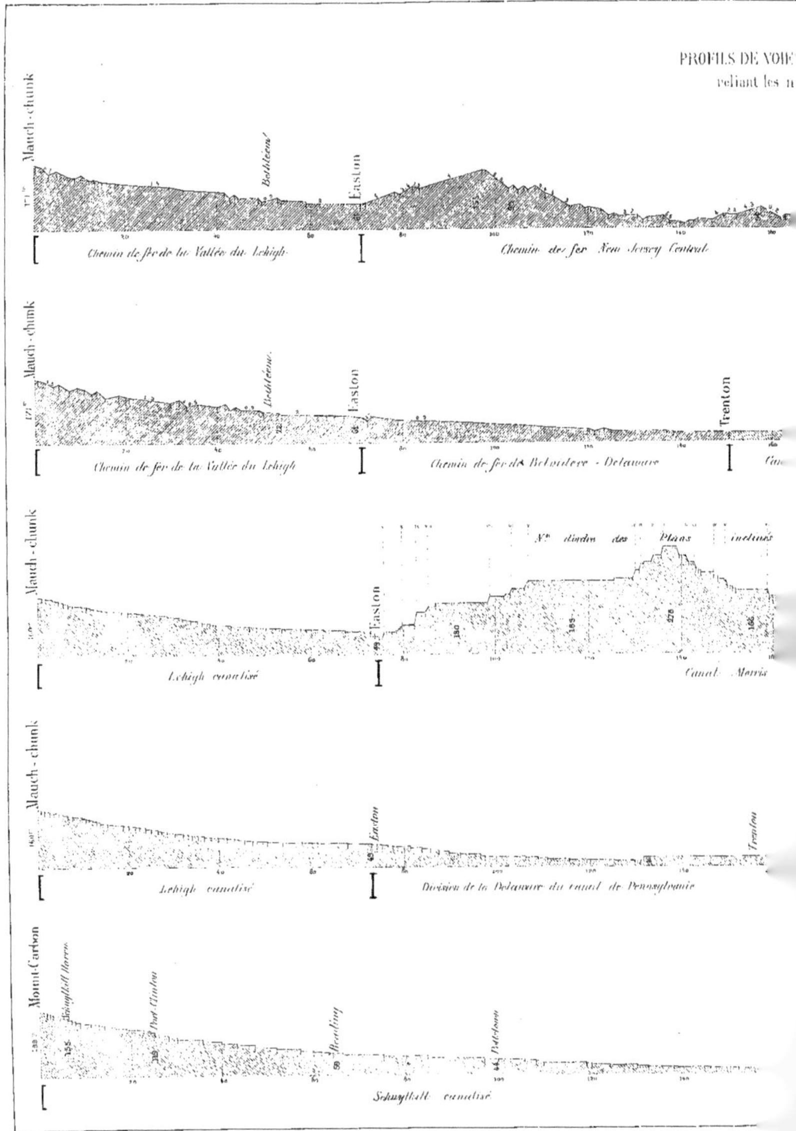

lith. Fraillery, 3, rue Fontanes.

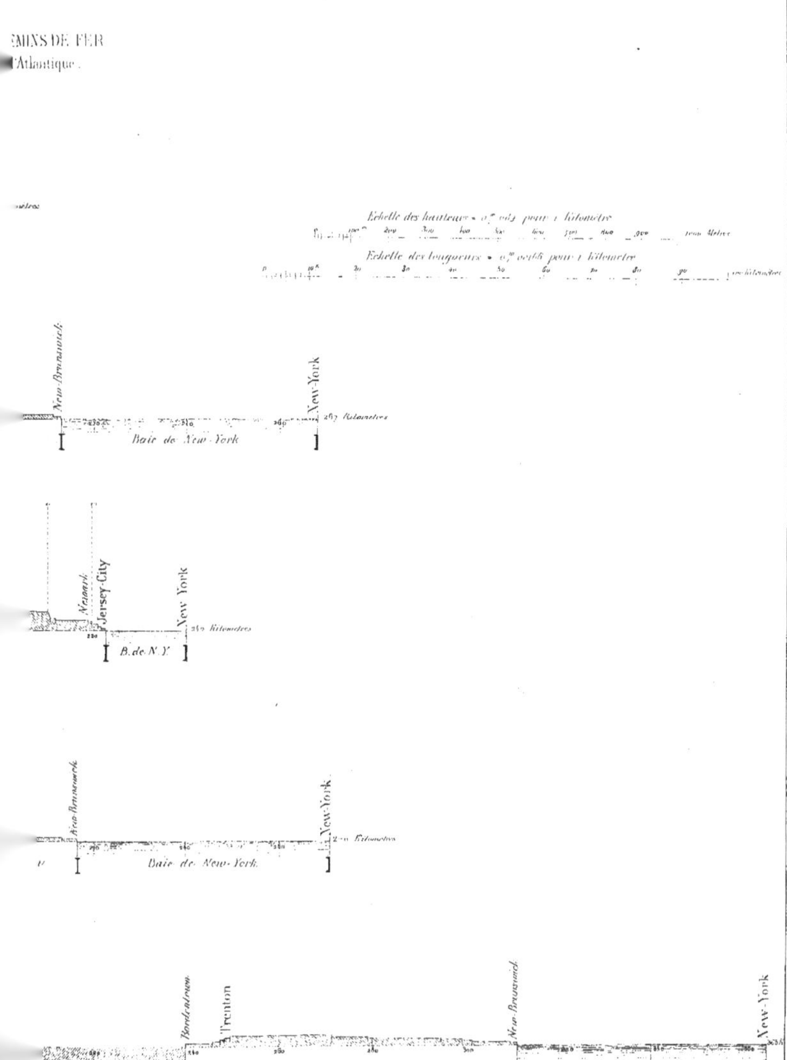

Gravé chez A. Chevreau, Paris

TRANSPORT DE

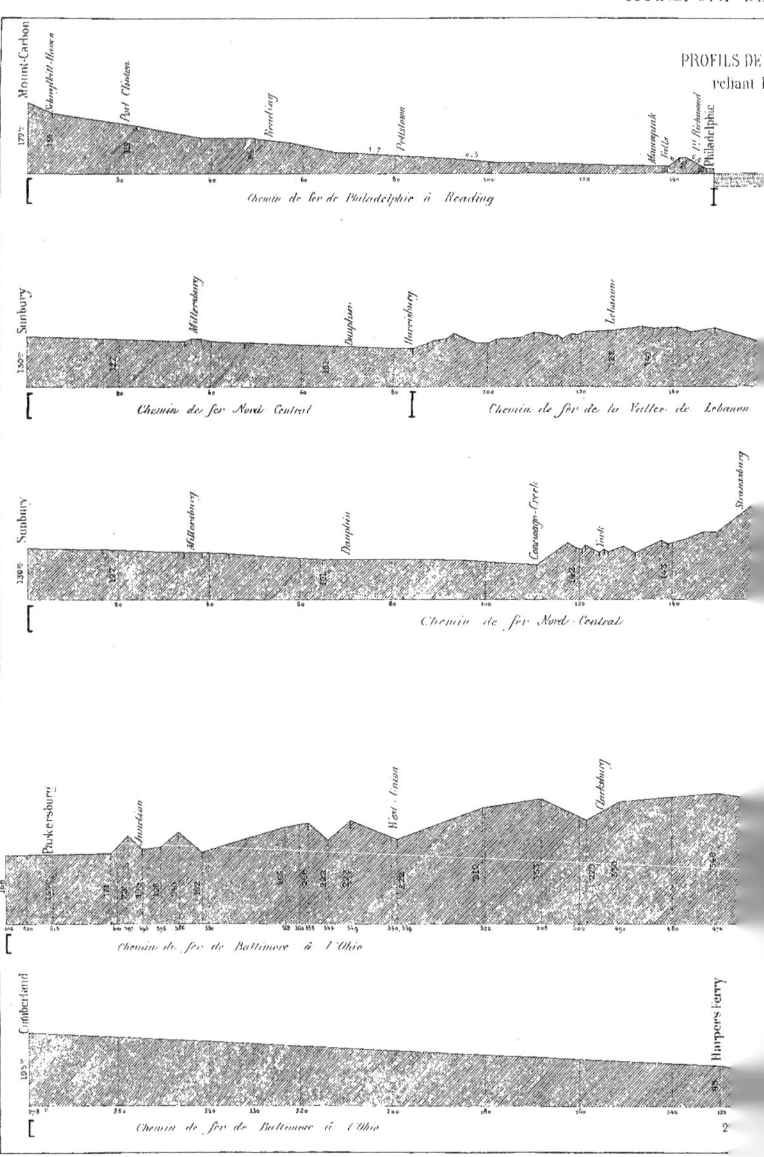

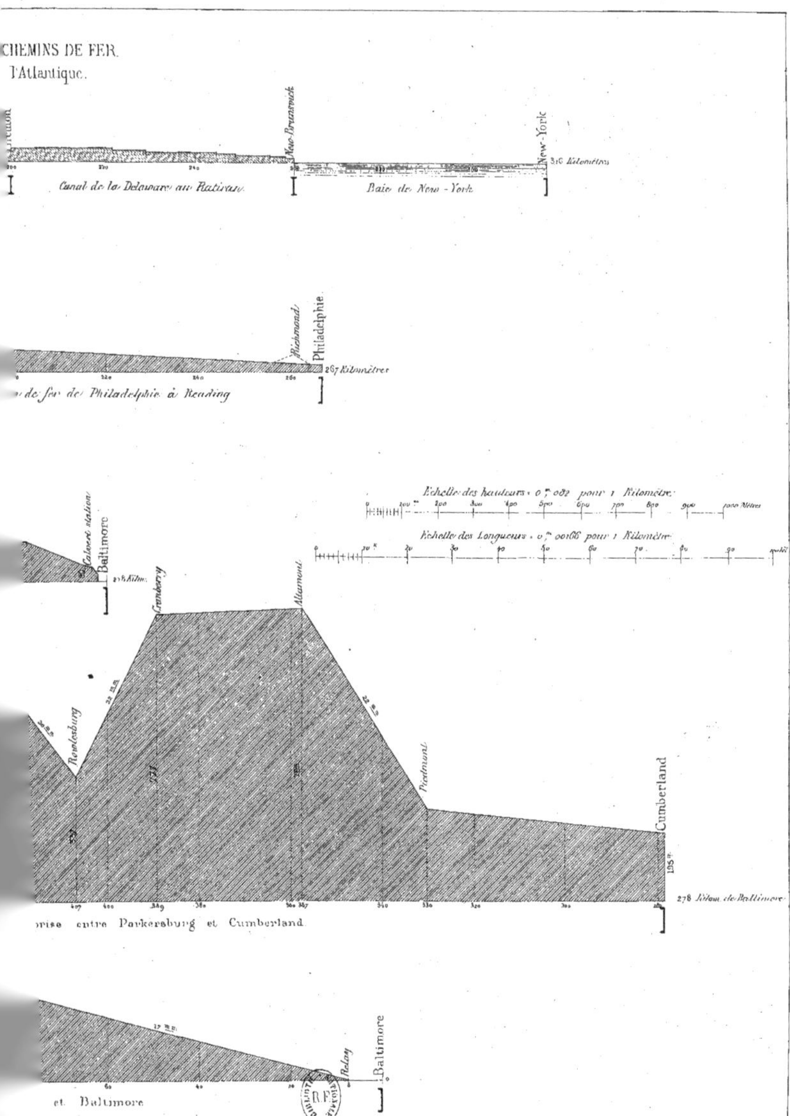

Gravé chez A. Chevrerau, Paris

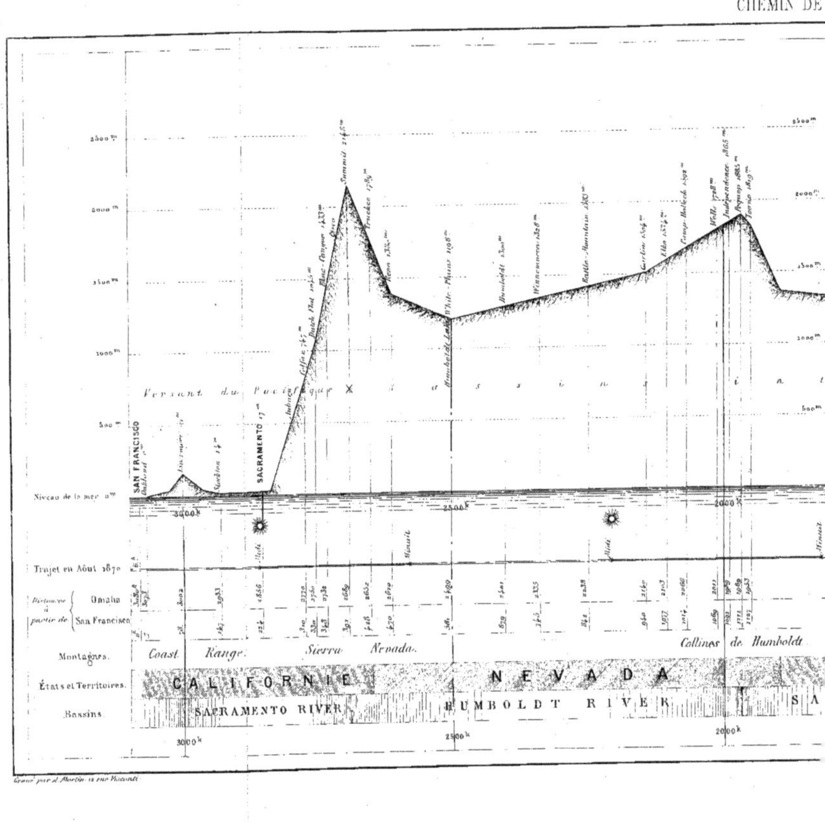
2500m
2000m
1500m
1000m
500m
Niveau de la mer 0m
SAN FRANCISCO
SACRAMENTO 17m
Summit 2140m
Versant du Pacifique
3000k
2500k
2000k
Midi
Minuit
Trajet en Août 1870
Distances à partir de Omaha
San Francisco
Montagnes.
Coast Range.
Sierra Nevada.
Collines de Humboldt
États et Territoires.
CALIFORNIE
NEVADA
Bassins.
SACRAMENTO RIVER
HUMBOLDT RIVER
Gravé par A. Martin

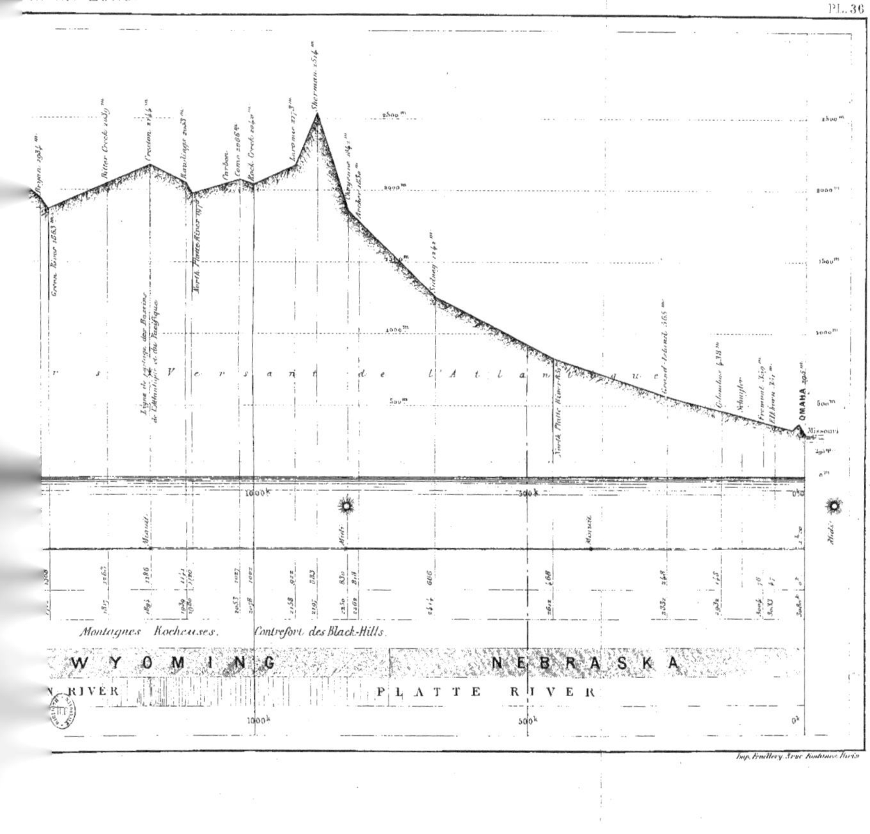

Sherman 2514m

Laramie 2178m

Rock Creek 2020m

Como 2088m

Carbon

Rawlings 2053m

Creston 2164m

Bitter Creek 2039m

Green River 1863m

North Platte River

Ligne de partage des Bassins de l'Atlantique et du Pacifique

Cheyenne 1843m

Archer 1822m

Sidney 1241m

North Platte River 855

Grand Island 565m

Columbus 438m

Schuyler

Fremont 359m

Elkhorn 351m

OMAHA 305m

Missouri

Versant de l'Atlantique

2500m 2000m 1500m 1000m 500m 0m

1000k 500k 0k

Minuit Midi Minuit Midi

Montagnes Rocheuses. Contrefort des Black-Hills.

WYOMING NEBRASKA

RIVER PLATTE RIVER

Imp. Fraillery 3 rue Fontaines Paris

D

employée à l'approfondisse

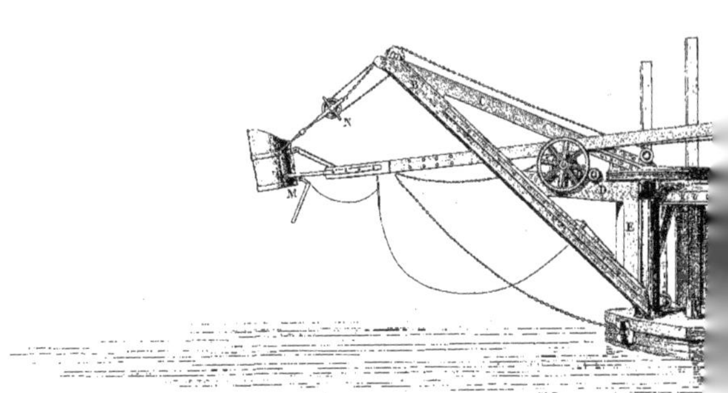

MACI

employée à l'ét

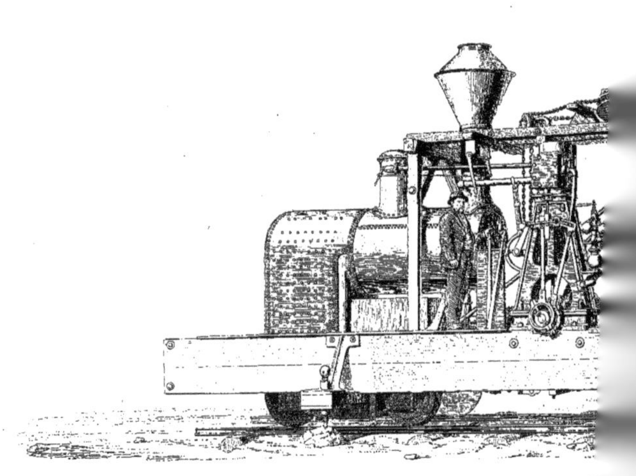

R

linois au Lac Michigan

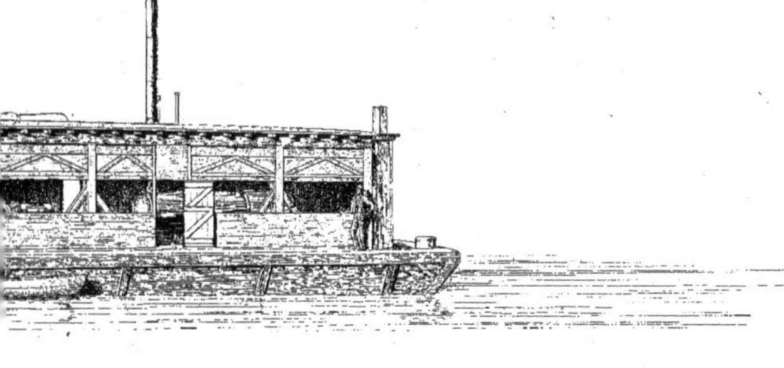

SEC

linois Railroad

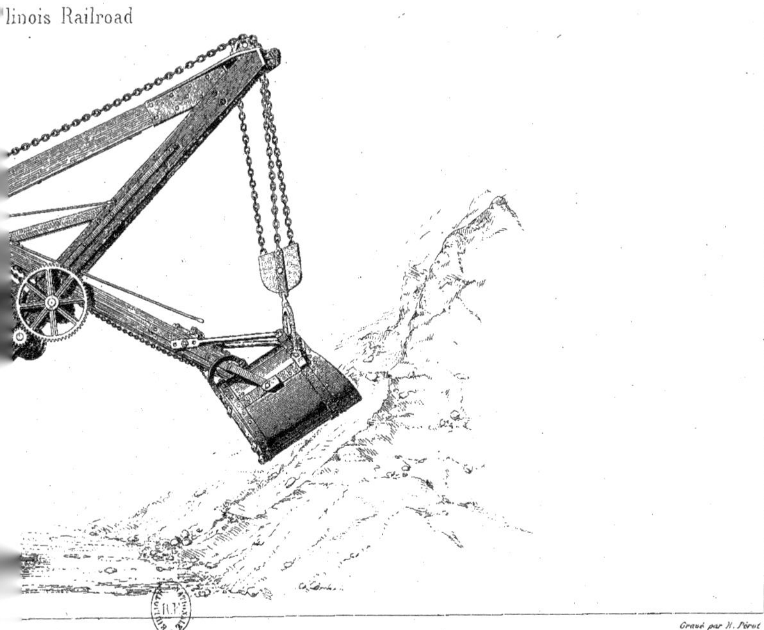

Gravé par H. Pérut

DRAGUE

Griffe à mâchoires

a a' : Axes de rotation

br, qs : Bras articulés

c d : Traverse mobile

f g : Arbre fixe

h i : Chaine d'ouverture

j l : Chaine de comman

m n, m'n' : Chaines de r

tu, t'u' : Crocs saillants

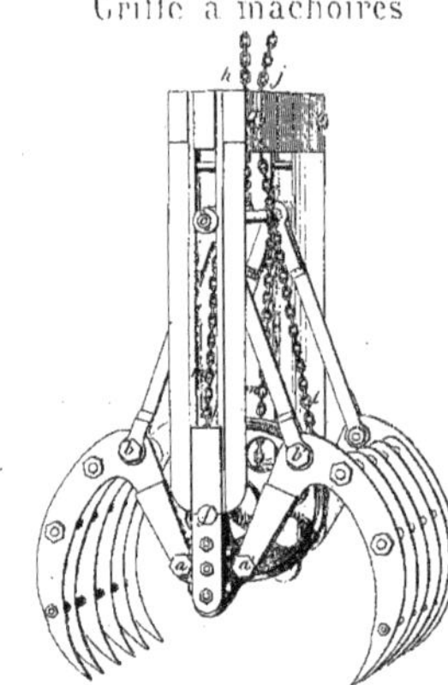

Vue d'ensemble du bateau dragueur

Travaux de
au p

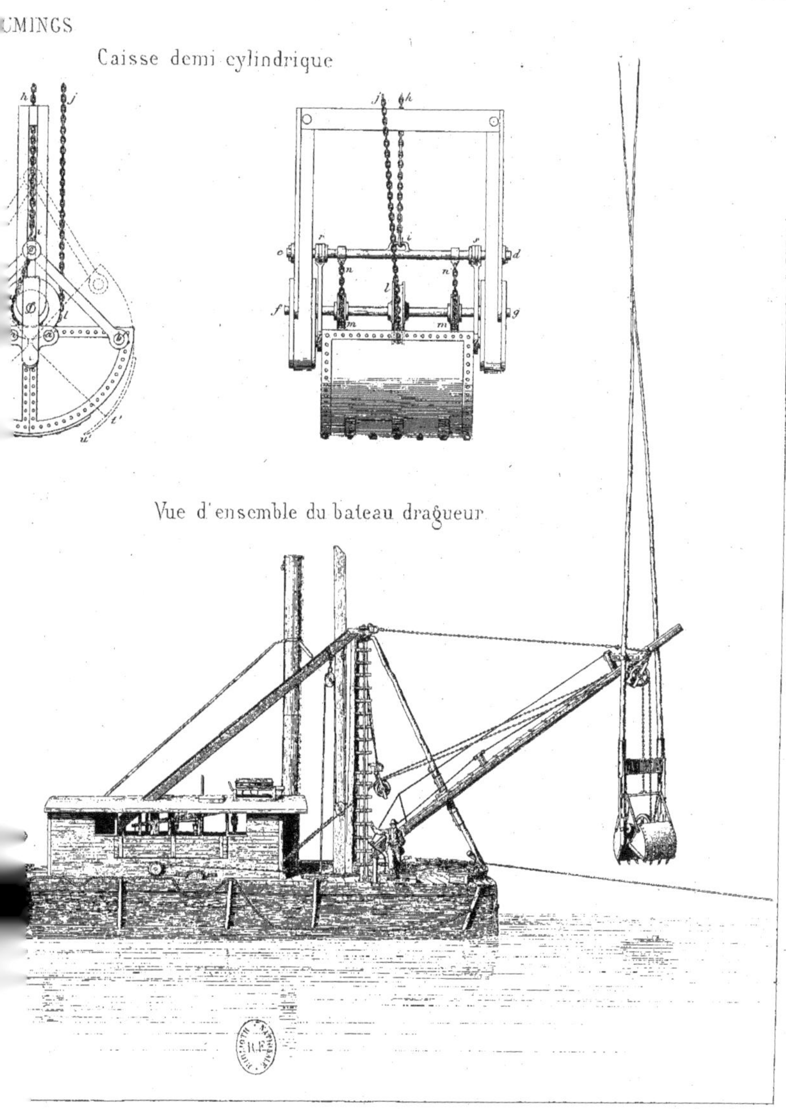

Gravé par R. Pérot

CRIB WORKS [CRÈCHES GARNIES D'ENROCHEMENTS]

Élévation partielle.

Coupe verticale suivant C D.

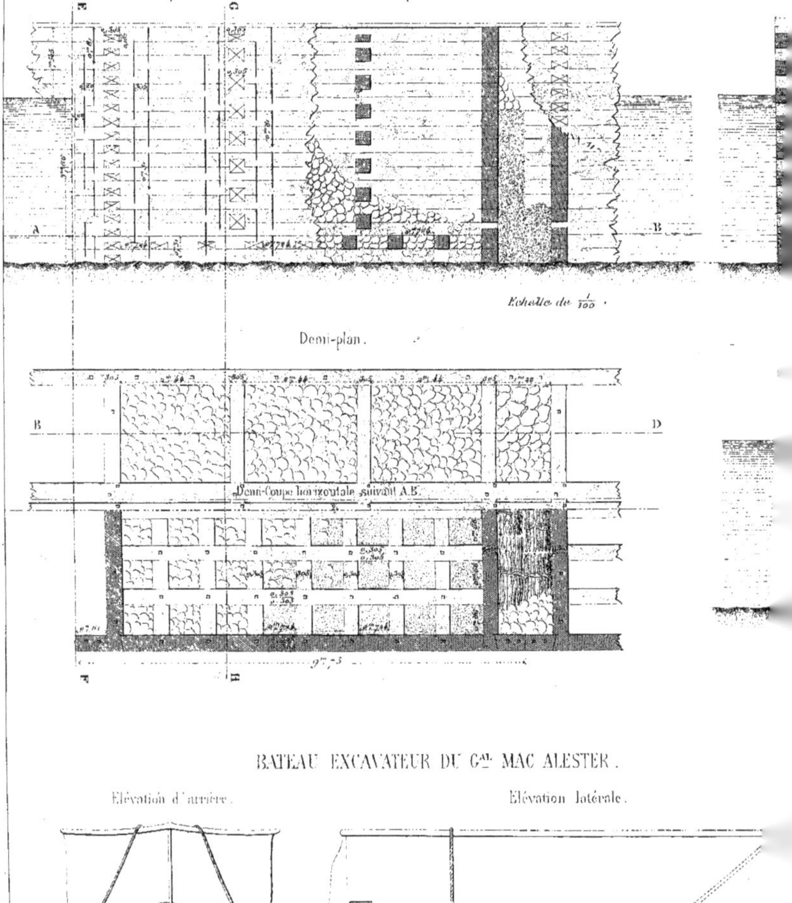

Échelle de $\frac{1}{100}$.

Demi-plan.

Demi-Coupe horizontale suivant A B.

BATEAU EXCAVATEUR DU G^{al} MAC ALESTER.

Élévation d'arrière.

Élévation latérale.

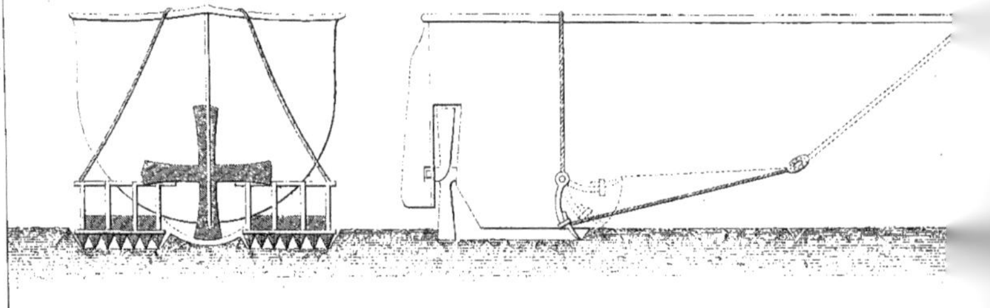

Gravé par A. Chevremont. — Paris.

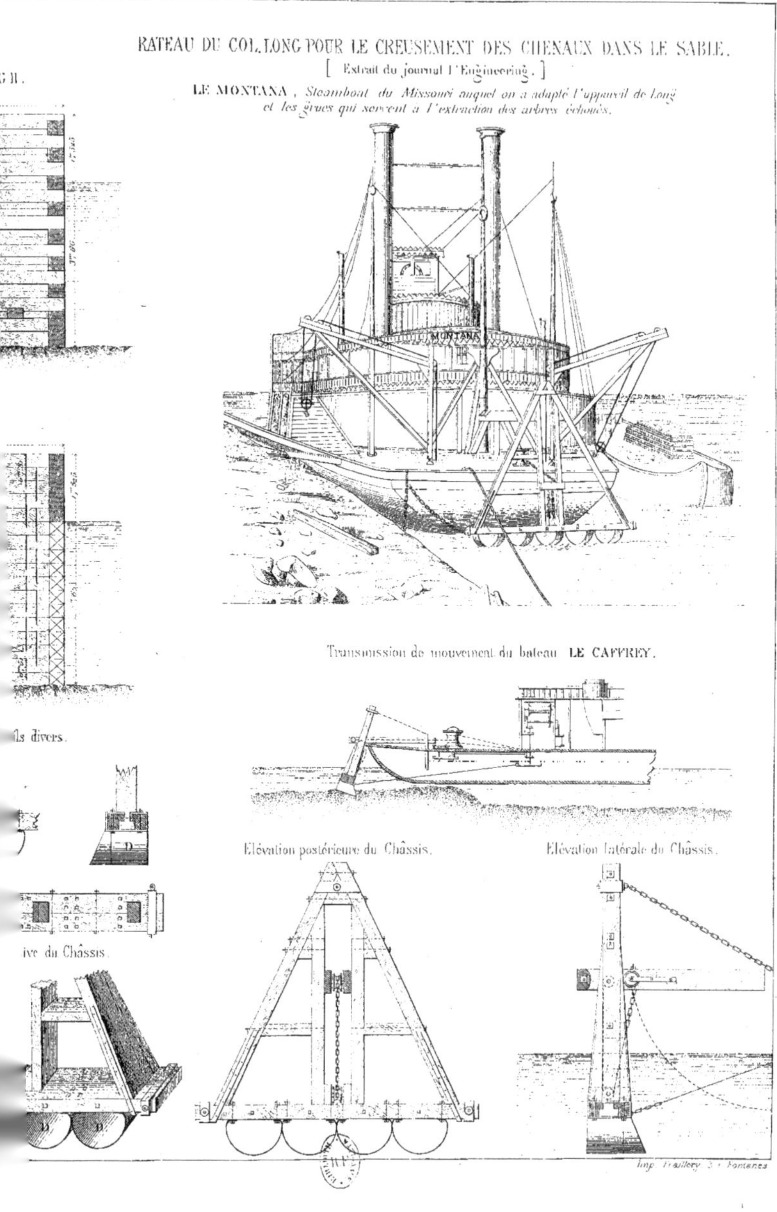
RATEAU DU COL. LONG POUR LE CREUSEMENT DES CHENAUX DANS LE SABLE.
[Extrait du journal l'Engineering.]
LE MONTANA, Steamboat du Missouri auquel on a adapté l'appareil de Long et les grues qui servent à l'extraction des arbres échoués.
MONTANA
GH.
ils divers.
ive du Châssis.
Transmission de mouvement du bateau LE CAFFREY.
Elévation postérieure du Châssis.
Elévation latérale du Châssis.
Imp. Fraillery, 3, r. Fontanes

P

EMBARCADÈRE I

Fig. A.— Elévation du pont mobile.

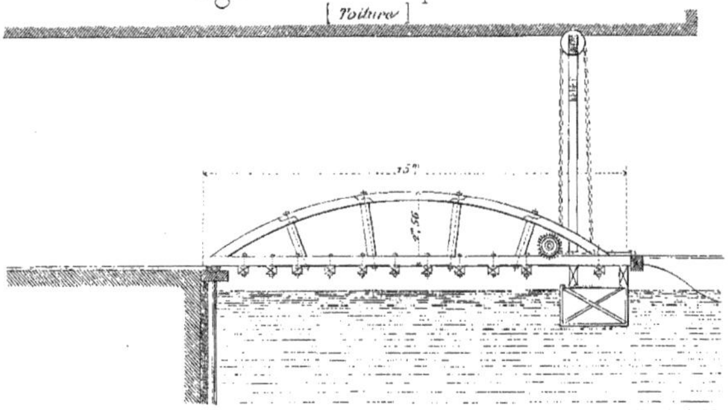

[Voiture]

15m

Fig.

BAC A VAPEUR POUR VOIT

Fig. a.— Elévation.

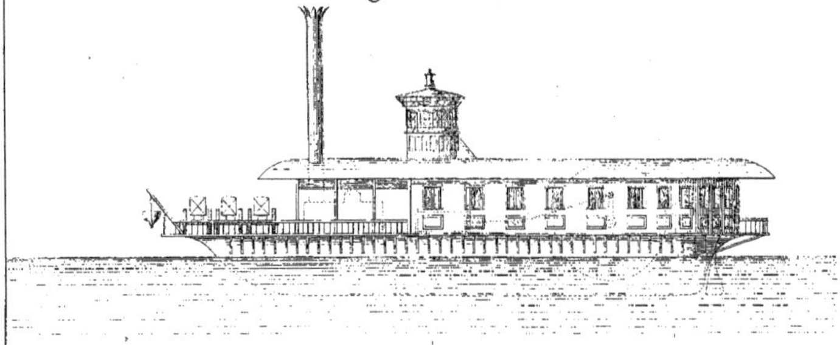

BAC A VAPEUR POUR V

Fig. α.—Plan des abords.

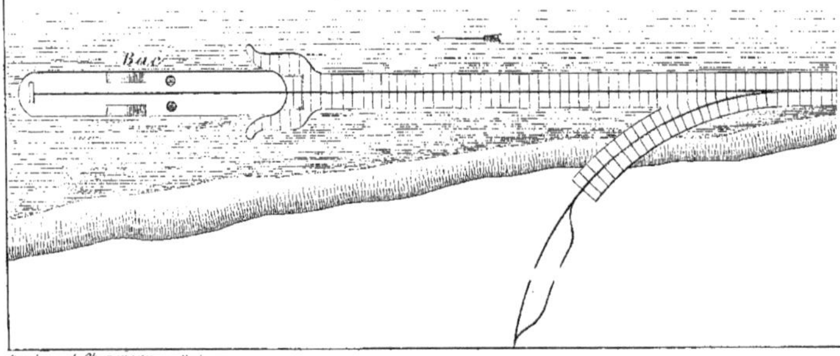

Bac

Gravé par A. Chenevoau . . Paris

U.

,A NEW-YORK.

Fig. C — Plan d'ensemble.

ment

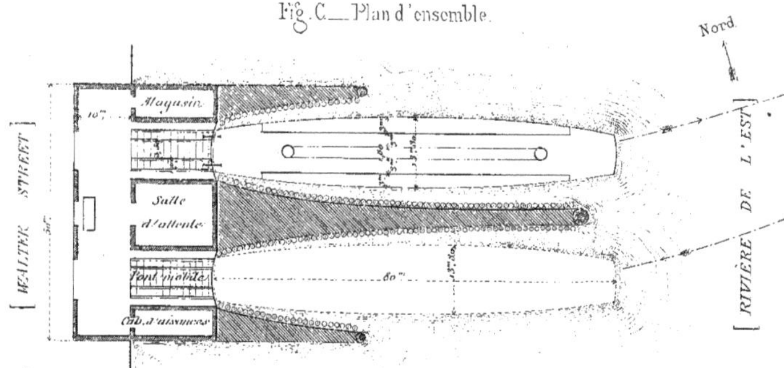

AHA, SUR LE MISSOURI.

Fig. c — Plan du bac.

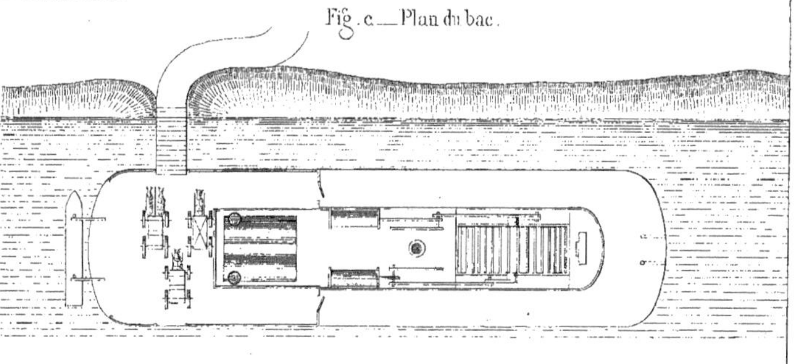

LE SAINT-LAURENT.

Fig. γ — Plan du bac.

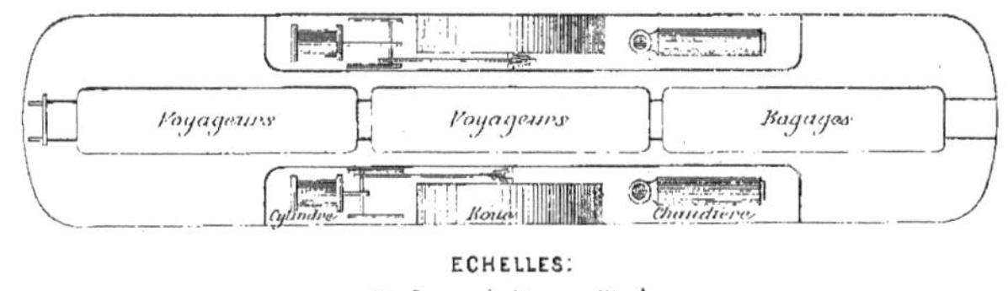

ECHELLES:

0m,005 pour 1 mètre — Fig. A.

0m,001 pour 1 mètre — Fig. B, C et α.

0m,0025 pour 1 mètre — Fig. a, b, c, β et γ.

Imp. Frællery 3 r. Fontaine

NAVIGA

FERRY-BOAT O

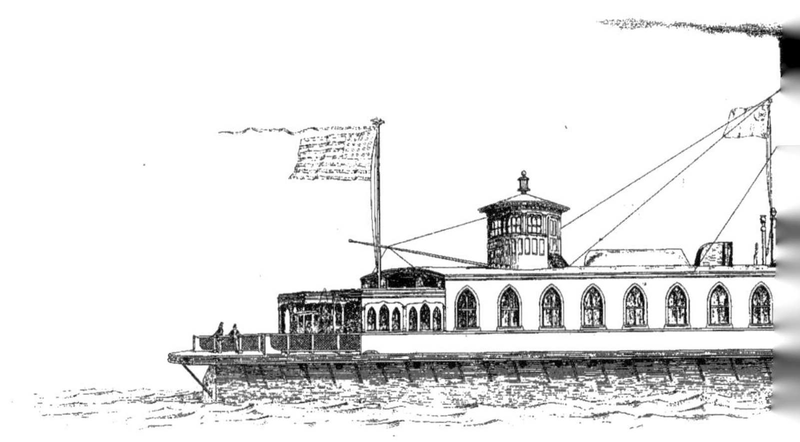

STEAM-BOAT DI

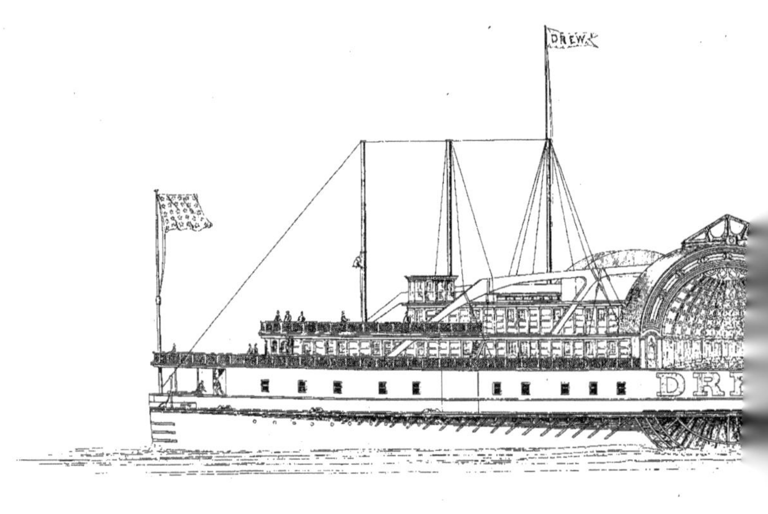

UR DE L'HUDSON

V-YORK À ALBANY

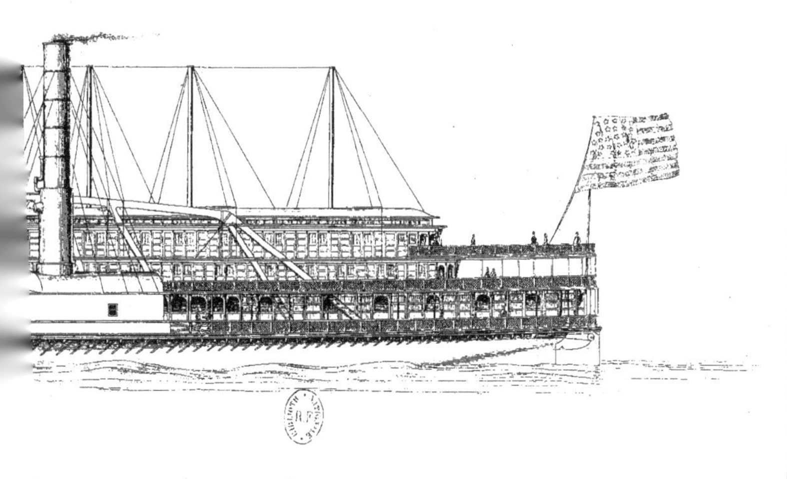

Gravé par E. Perot

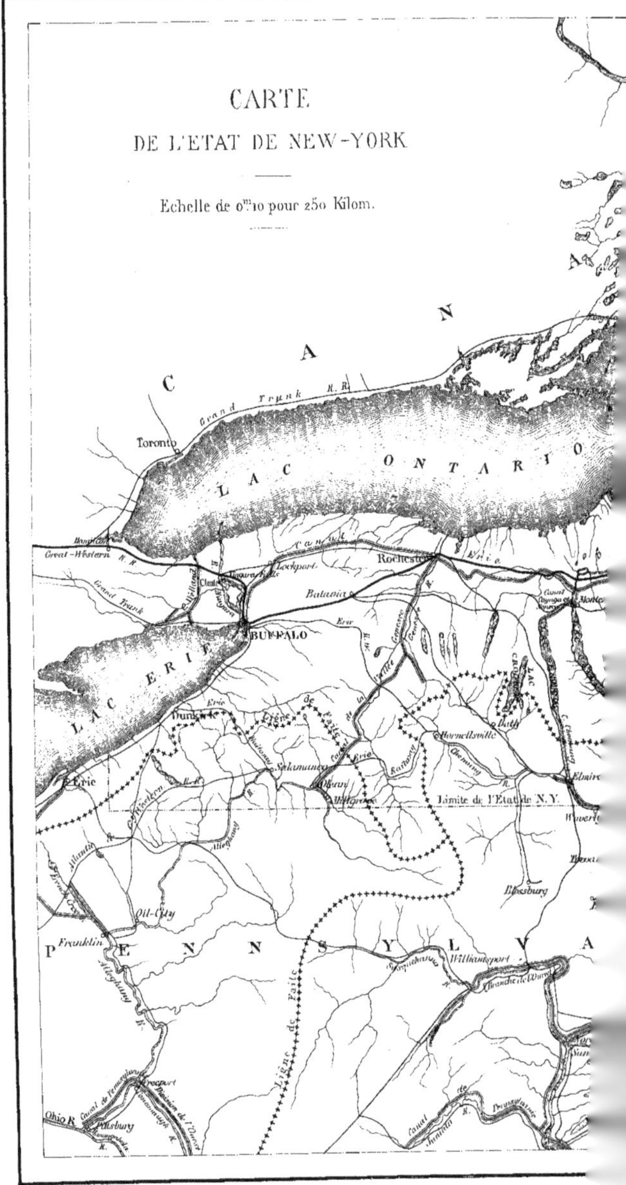

Gravé par A. Martin, 12 rue Visconti.

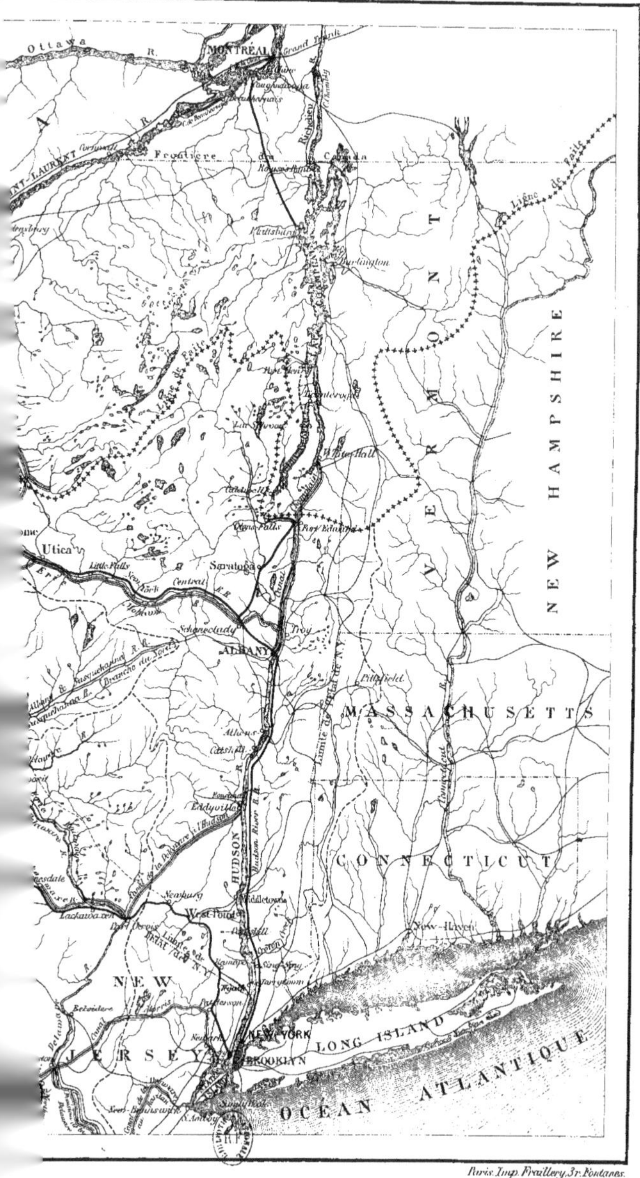

Paris. Imp. Fraillery, 3 r. Fontanes.

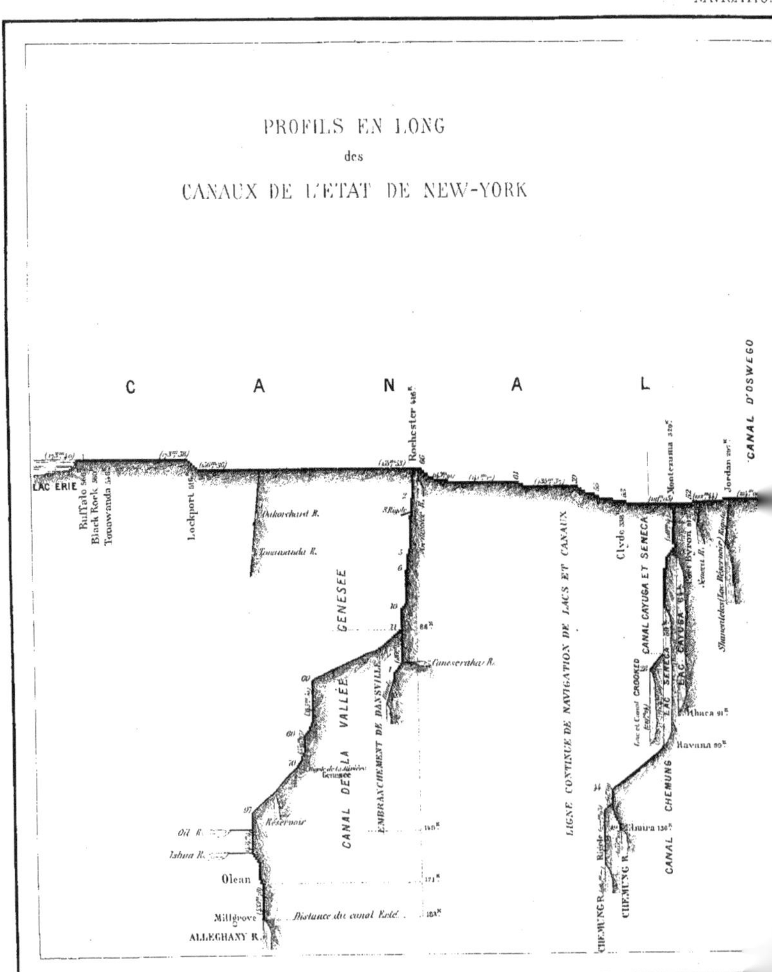

Gravé par A. Martin, 12 rue Visconti.

PL. 43

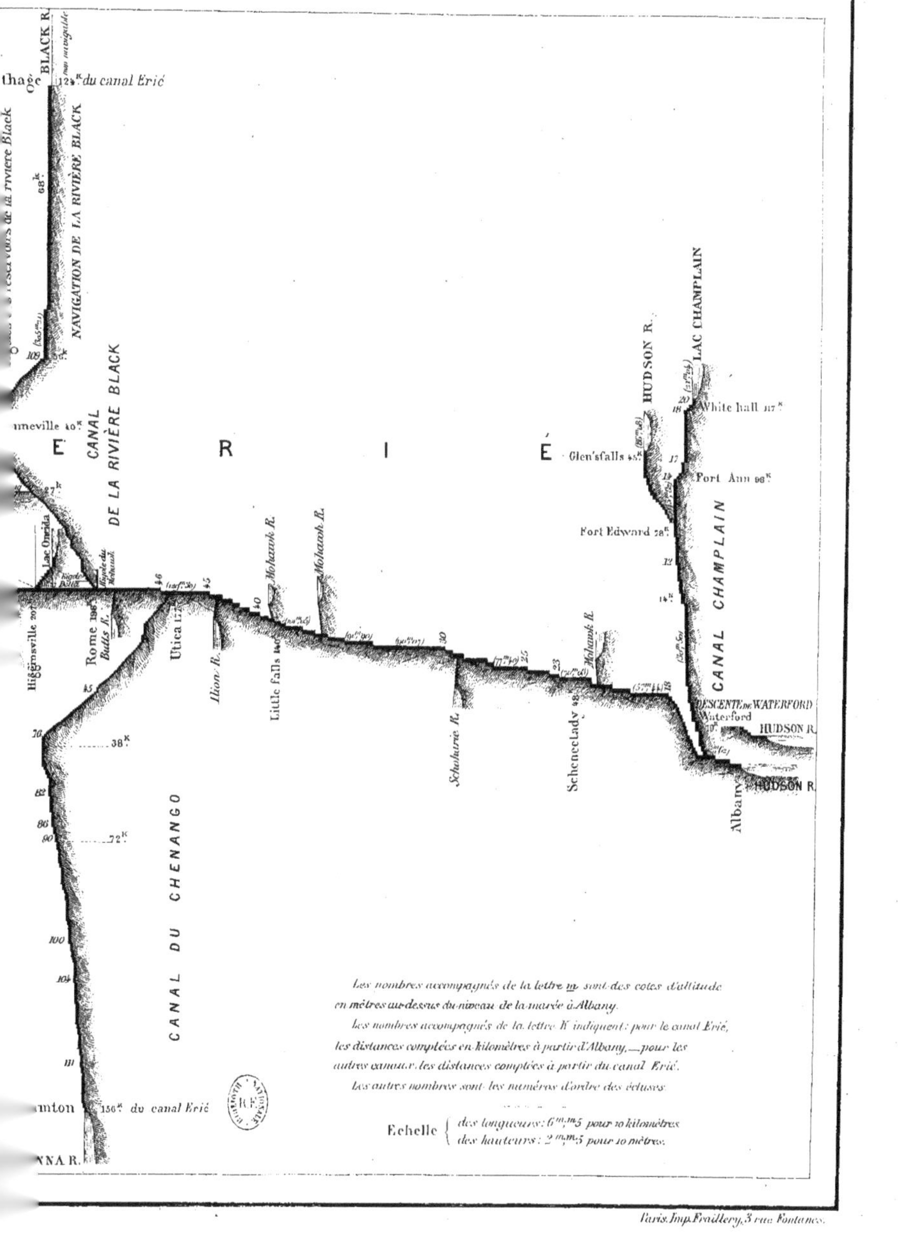

Paris. Imp. Fraillery, 3 rue Fontanes.

PROFILS EN TRAVERS DU CANAL ÉRIÉ.

TYPES SUCCESSIVEMENT ADOPTÉS.

N° 1. — Canal primitif.

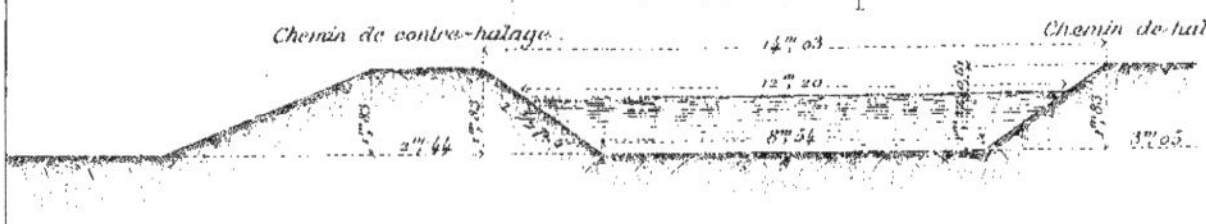

Chemin de contre-halage. — 14m 03 — *Chemin de halage.*

12m 20 — 8m 54 — 2m 44 — 3m 05

N° 2. — Canal agrandi : Type suivi de 1835 à 1848.

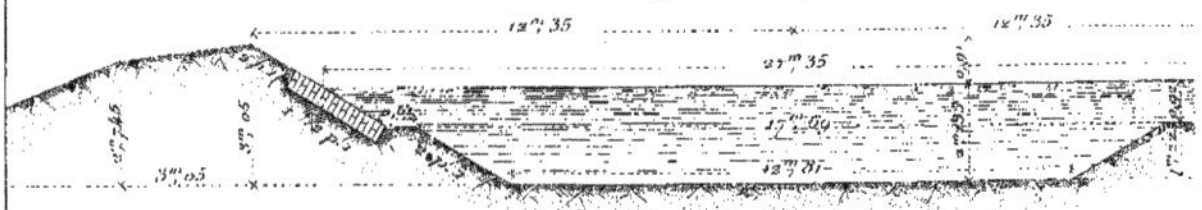

12m 35 — 12m 35 — 21m 35 — 17m 09 — 12m 81 — 3m 05

N° 3. — Type adopté le 17 Février 1849.

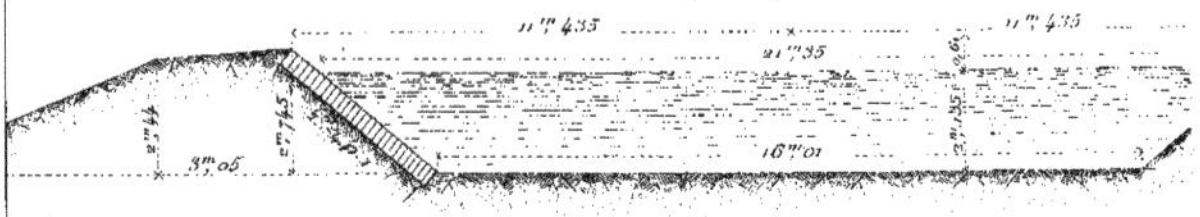

11m 435 — 11m 435 — 21m 35 — 16m 01 — 3m 05

Echelle de 1/200 : Types 1, 2 et 3.

N° 4. — Type définiti

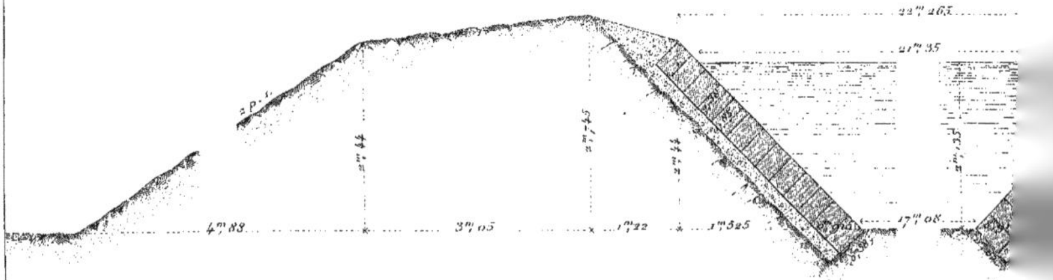

22m 263 — 21m 35 — 4m 83 — 3m 05 — 1m 22 — 1m 525 — 17m 08

Echelle de 1/75 : Types 4 et 5.

N° 5. — Section du Canal dans la trav

Chemin de contre halage.

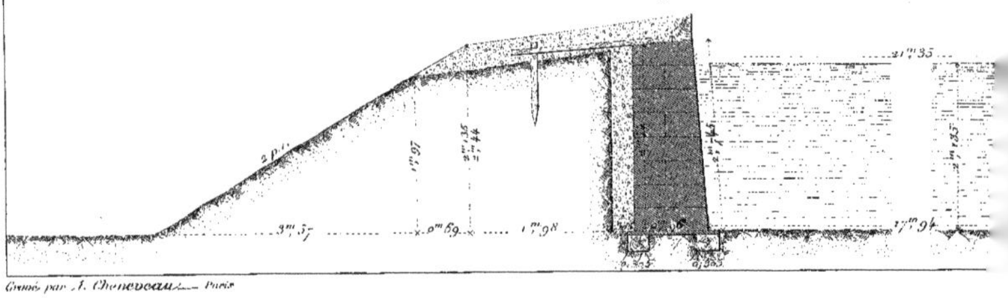

21m 35 — 3m 57 — 0m 69 — 1m 98 — 17m 94

Gravé par J. Chenevoaux — Paris

NAL MÉTALLIQUE DE JACKSTOWN, SUR LA JUNIATA [*PENNSYLVANIE*].

ÉCLUSE DU CANAL DU SANDY AU BEAVER.
[TÊTE D'AMONT.]

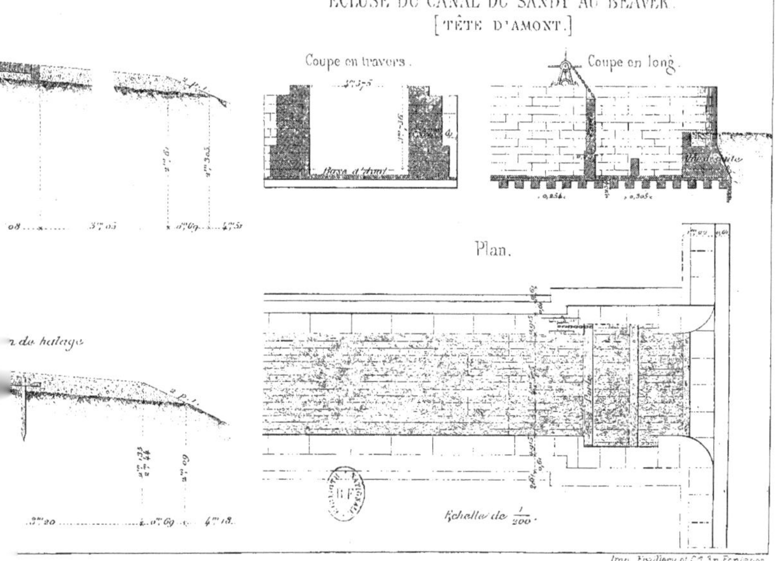

Imp. Fraillery et Cie 3r Fontaine

17ème ÉC

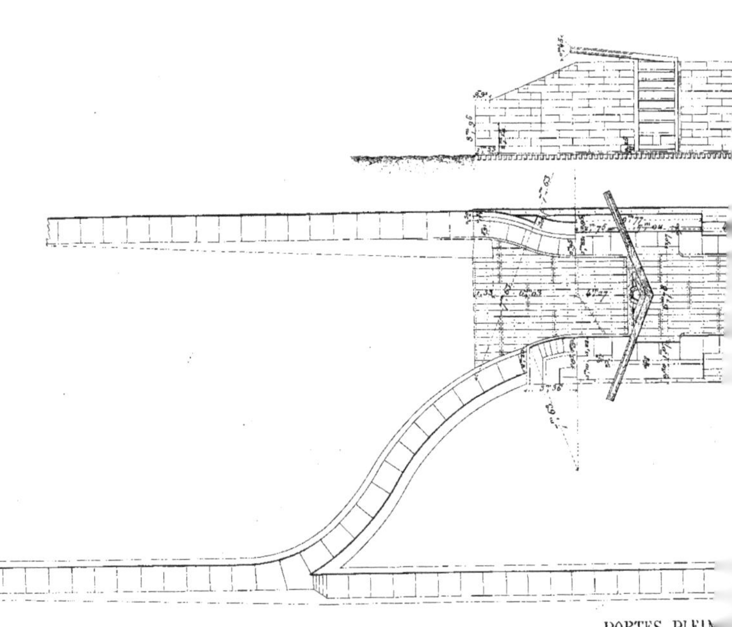

PORTES PLEIN

Coupe verticale suivant AB.

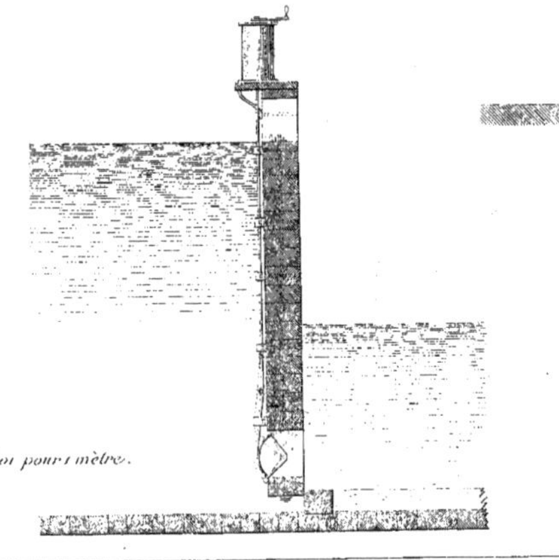

Echelle de 0m,01 pour 1 mètre.

Gravé par J. Civinoneau Paris

D'OSWEGO.

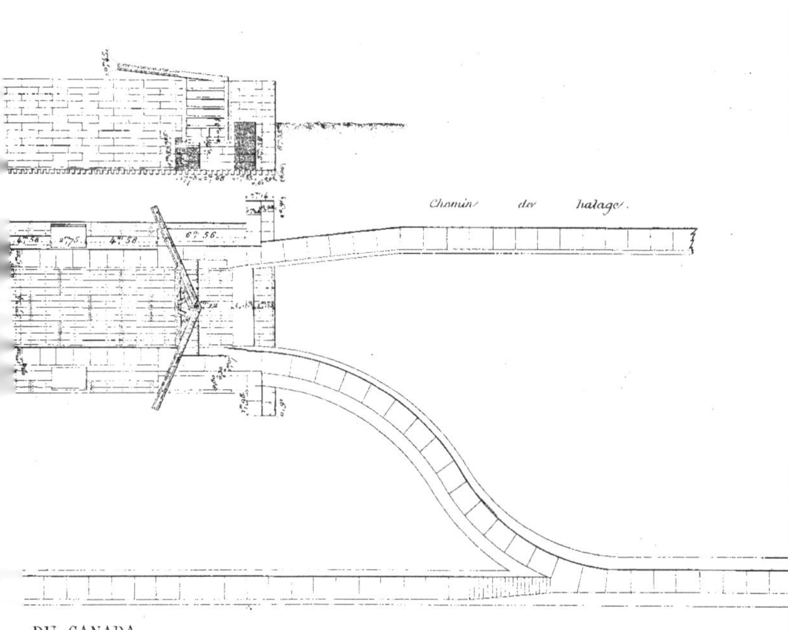

DU CANADA.

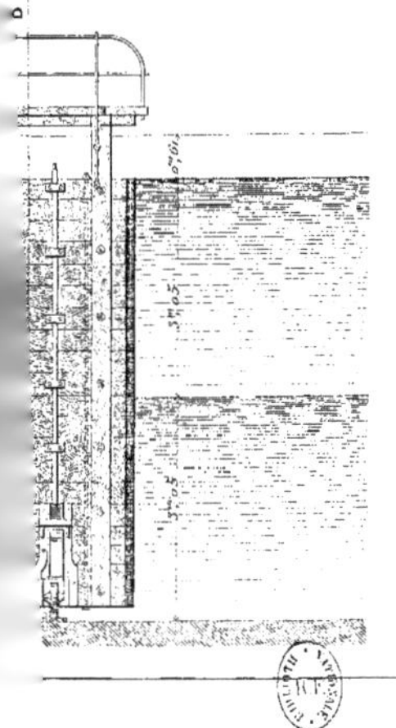

Coupe verticale suivant C D.

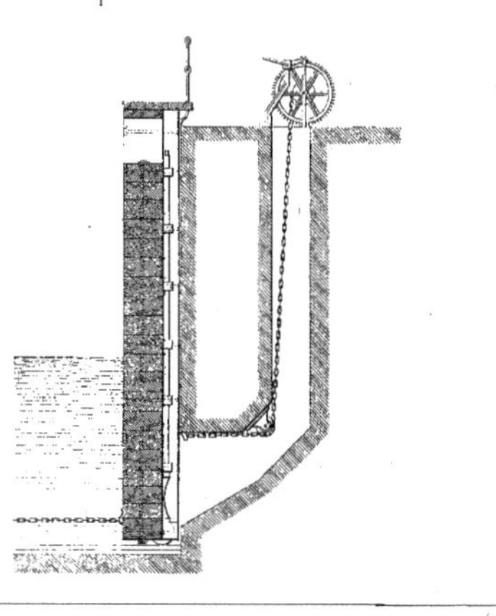

Imp. Fraillery r. Fontanes 5

PORTE D'ÉCLUSE

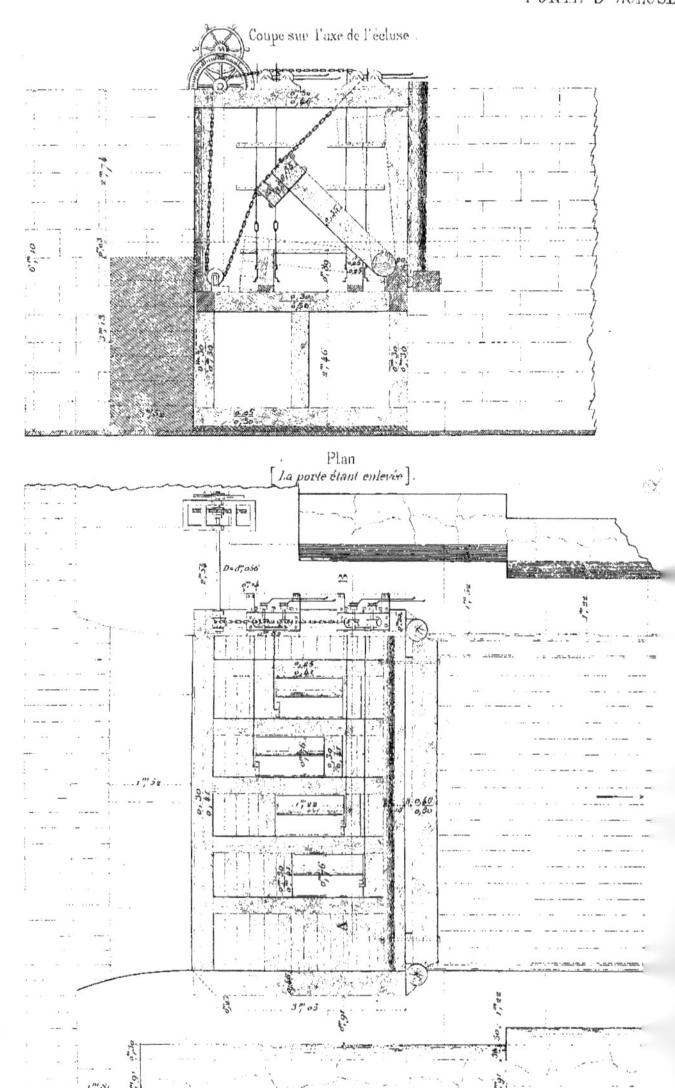

Gravé par J. Chezeaux ... Paris

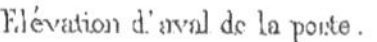

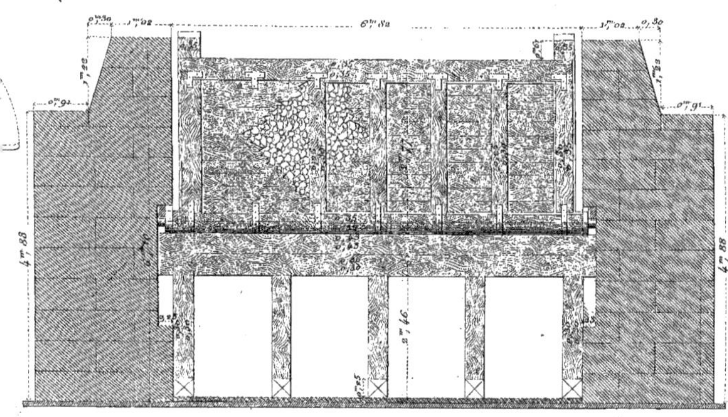

Coupe suivant A.B.

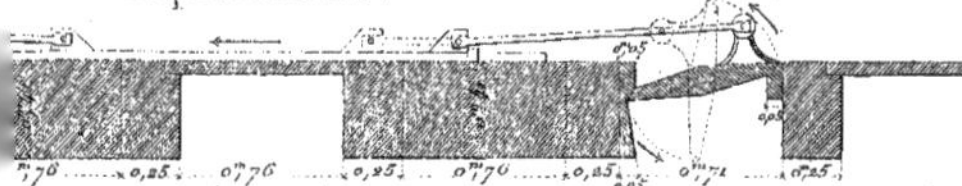

Plan.

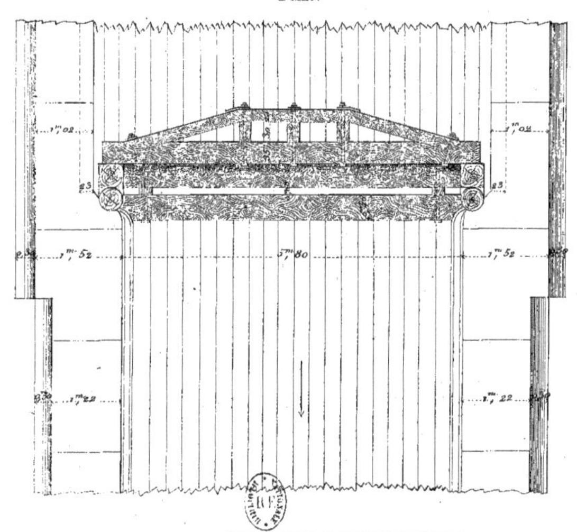

Imp. Fraillery 3 r Fontanes

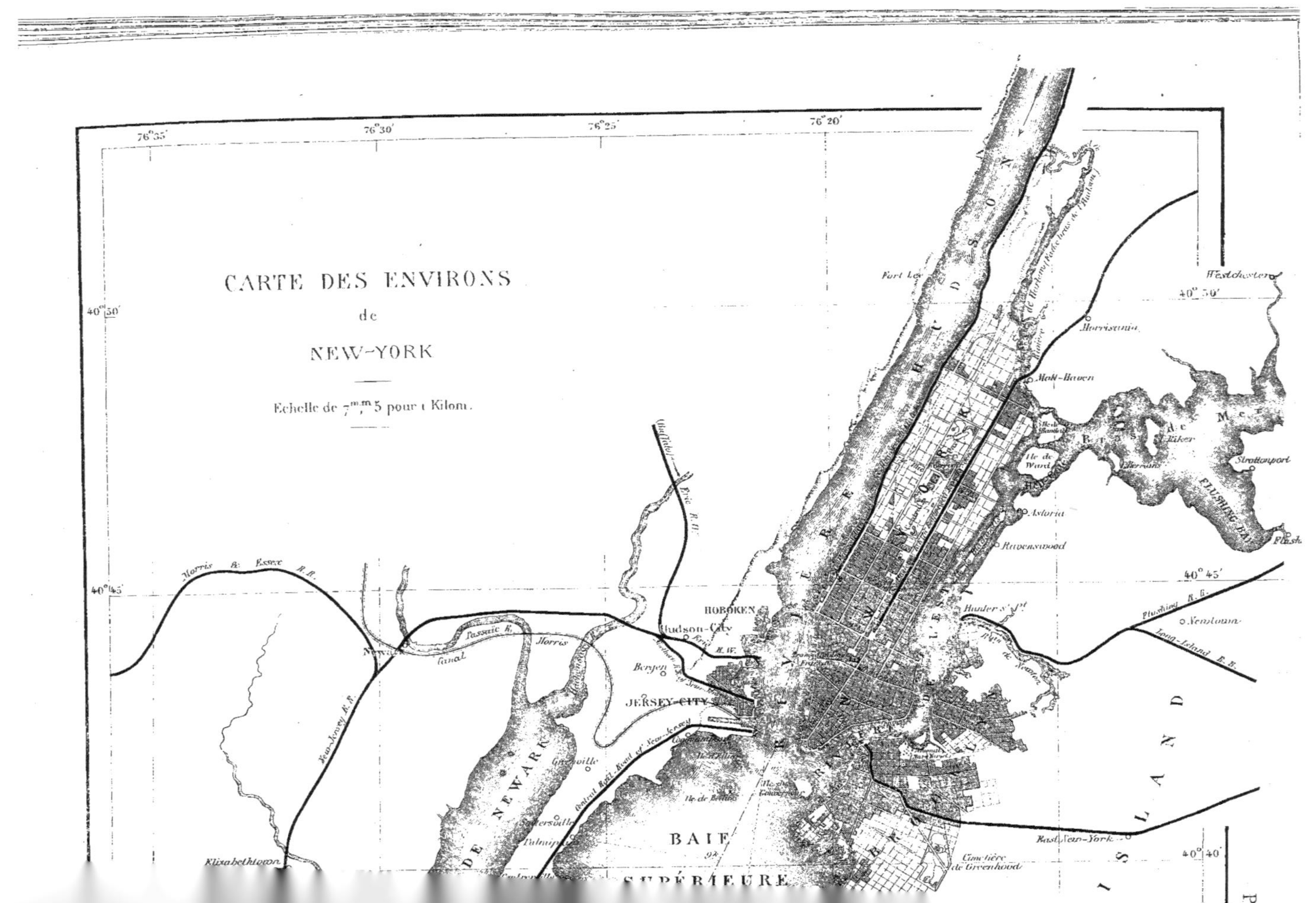
CARTE DES ENVIRONS
de
NEW-YORK
Echelle de 7mm,5 pour 1 Kilom.
76°35'
76°30'
76°25'
76°20'
40°50'
40°45'
40°40'
Westchester
Morrisania
Mott-Haven
Fort Lee
Ile de Ward
Riker
Strattonport
FLUSHING BAY
Astoria
Ravenswood
Hunter's Pt
Flushing R.R.
Newtown
Long-Island R.R.
East New-York
Cimetière de Greenwood
HOBOKEN
Hudson-City
Erie R.R.
Bergen
JERSEY-CITY
Morris & Essex R.R.
Passaic R.
Morris
Canal
New-Jersey R.R.
Elizabethtown
Greenville
BAIE
SUPÉRIEURE
NEWARK
ISLAND
R. DE L'EST
HUDSON

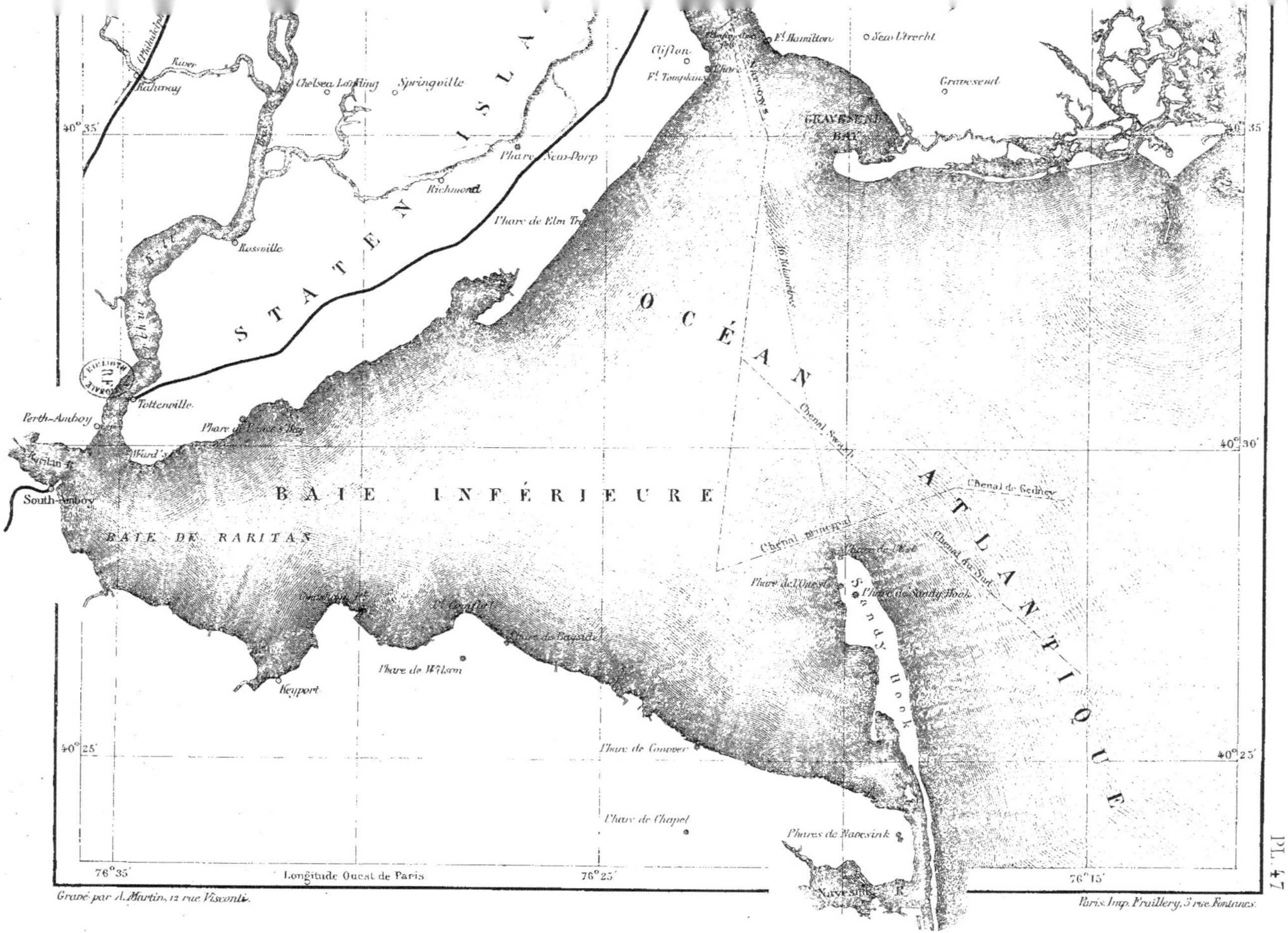

STATEN ISLA

OCÉAN ATLANTIQUE

BAIE INFÉRIEURE

BAIE DE RARITAN

GRAVESEND BAY

NARROWS

Sandy Hook

Rahway

River

Chelsea Landing

Springville

Phare New-Dorp

Richmond

Phare de Elm Tr.

Rossville

Tottenville

Perth-Amboy

Raritan R.

South-Amboy

Ward's

Clifton

Ft. Tompkins

Ft. Hamilton

New Utrecht

Gravesend

16 Kilomètres

Chenal Swash

Chenal de Gedney

Chenal principal

Chenal du Sud

Phare de l'Ouest

Phare de Sandy Hook

Phare de Wilson

Keyport

Phare de Conover

Phare de Chapel

Phares de Navesink

Navesink R.

40° 35'

40° 30'

40° 25'

76° 35'

76° 25'

76° 15'

Longitude Ouest de Paris

Gravé par A. Martin, 12 rue Visconti.

Paris. Imp. Fraillery, 3 rue Fontanes.

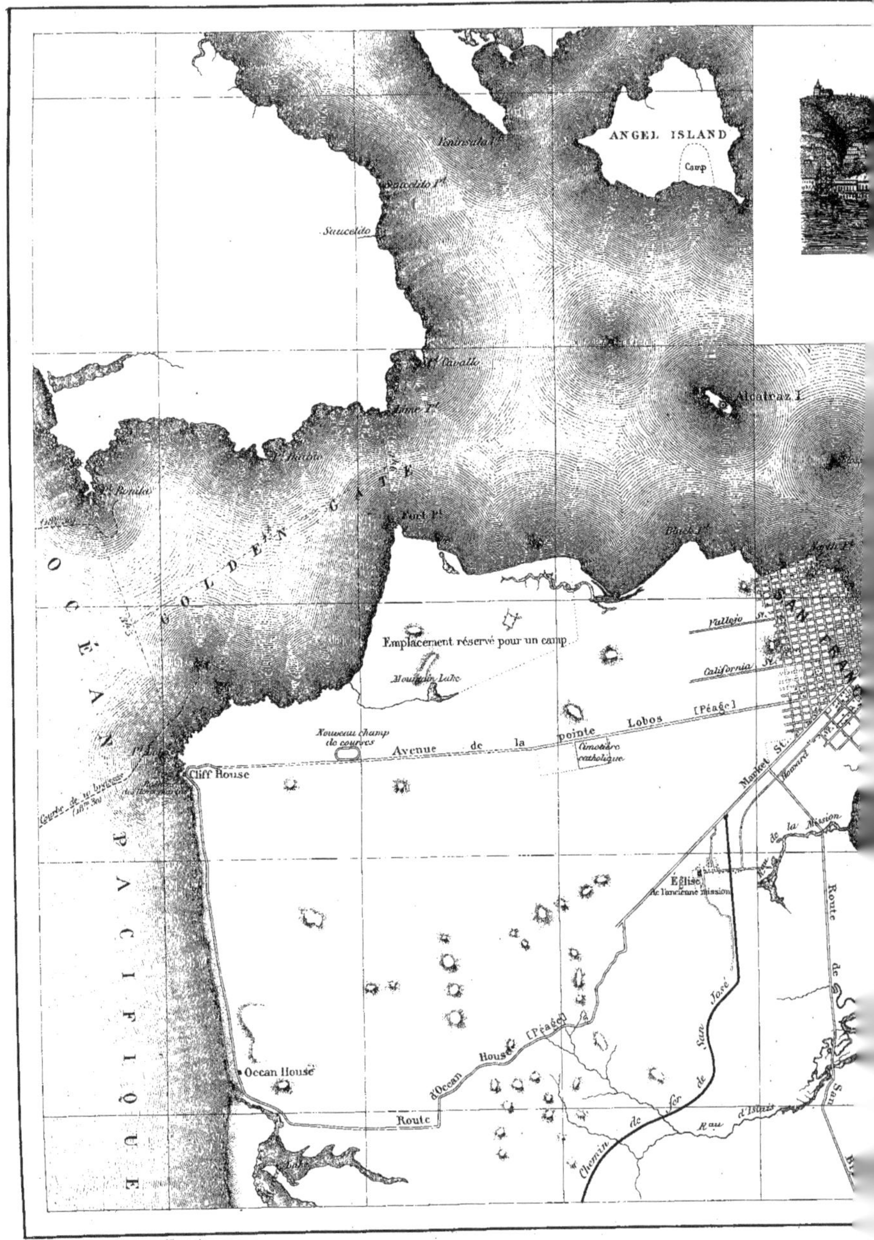

Gravé par A. Martin, 1er rue Visconti.

Vue de l'entrée de la Baie, prise de l'Ile Yerba Buena.

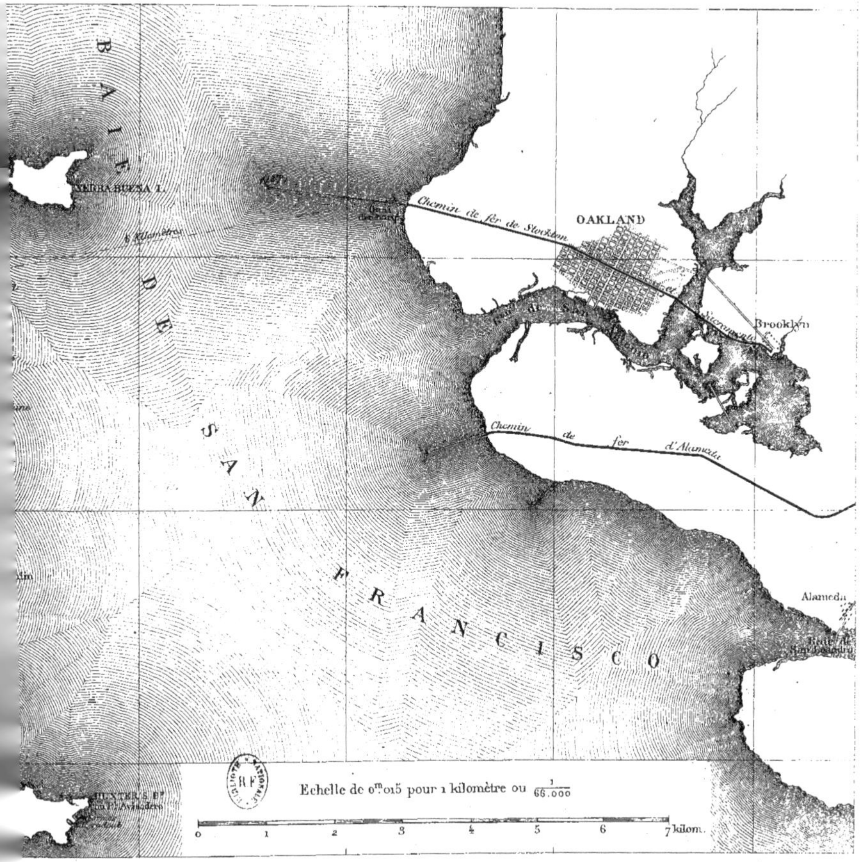

BAIE DE SAN FRANCISCO

YERBA BUENA I.

Chemin de fer de Stockton

OAKLAND

Brooklyn

Chemin de fer d'Alameda

Alameda

HUNTER'S Pᵗ

Echelle de 0^m015 pour 1 kilomètre ou $\frac{1}{66.000}$

0 1 2 3 4 5 6 7 kilom.

Paris. Imp. Fraillery, 3 rue Fontaine.

PO

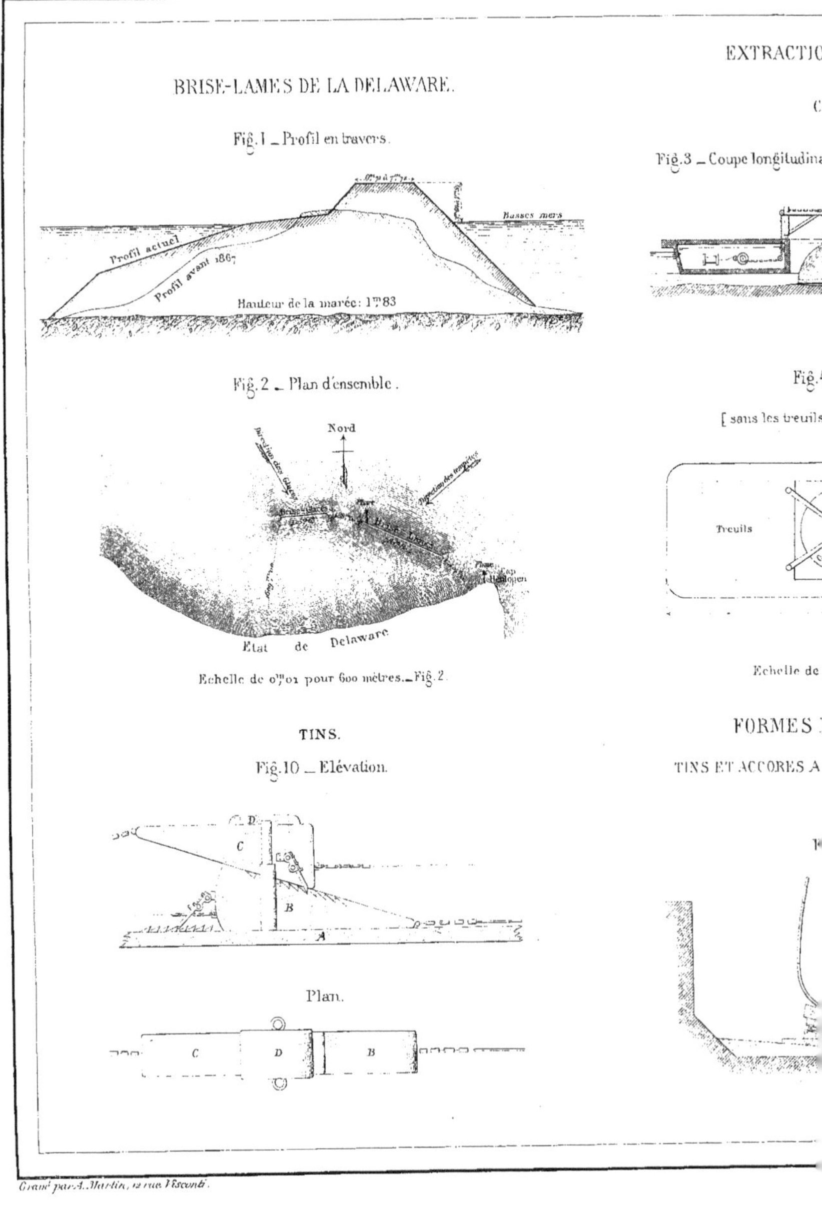

Gravé par A. Martin, 12 rue Visconti.

SOUS-MARINES.

FORME DE RADOUB DE HUNTER'S POINT, À SAN FRANCISCO.

WTON.

Fig. 7 _ Coupe transversale de la forme fixe.

Fig. 5 _ Coupe transversale.

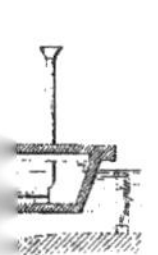

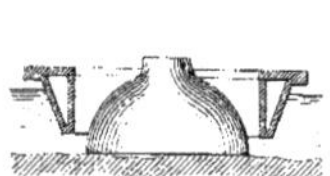

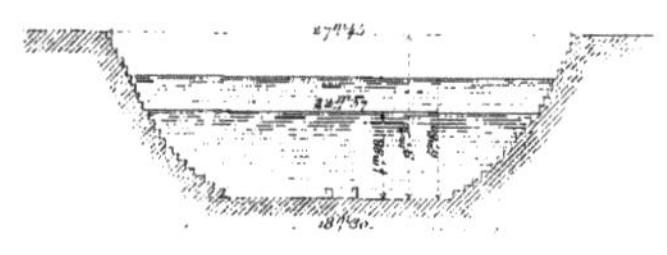

Fig. 6 _ Cloche fonctionnant comme bâtardeau.

Fig. 8 _ Plan d'ensemble des deux formes.

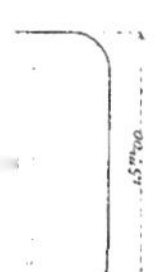

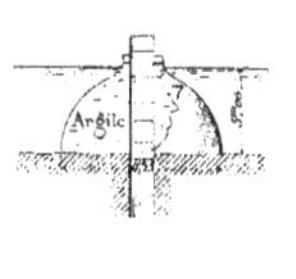

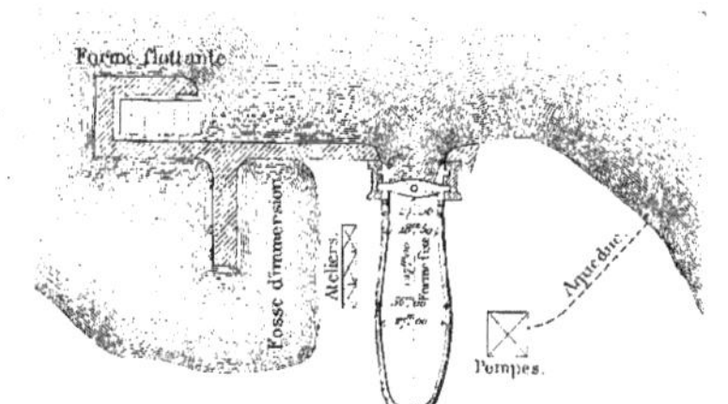

3, 4, 5, 6 et 7.

Echelle de 0m,002 pour 10 mètres. _ Fig. 8.

TTANTES.

ACCORES.

RLOUR [DE BROOKLYN].

Fig. 11 _ Elévation.

ale.

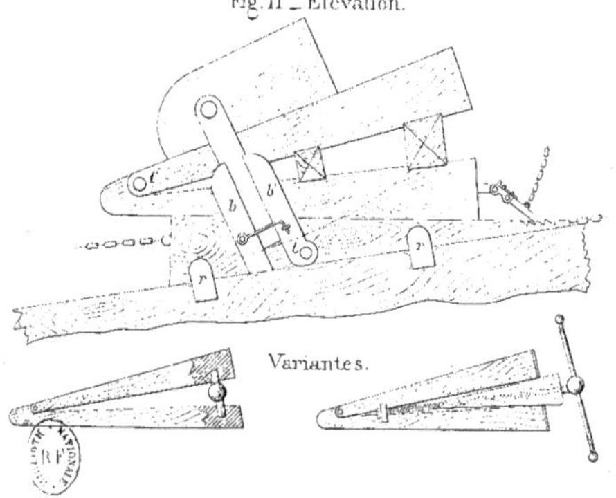

Paris, Imp. Fraillery, 3 rue Fontanes.

PO

ENLÈVEMENT
A SA
Excavation telle que l'avait projetée Mr. Von Schmidt. _ Fig. A.
Hautes eaux
Basses eaux
Echelle: 1/305
Excavation telle qu'elle a été exécutée. ___ Fig. B.
Basses eaux
0
1m 830
3m 660
5m 490
7m 320
9m 600
Echelle: 1/305
Plan du batardeau ___ Fig. C.
Echelle: 1/97
2m 440
7m 320
3m 050
9m 760
Gravé par J. Chenevoau Paris.

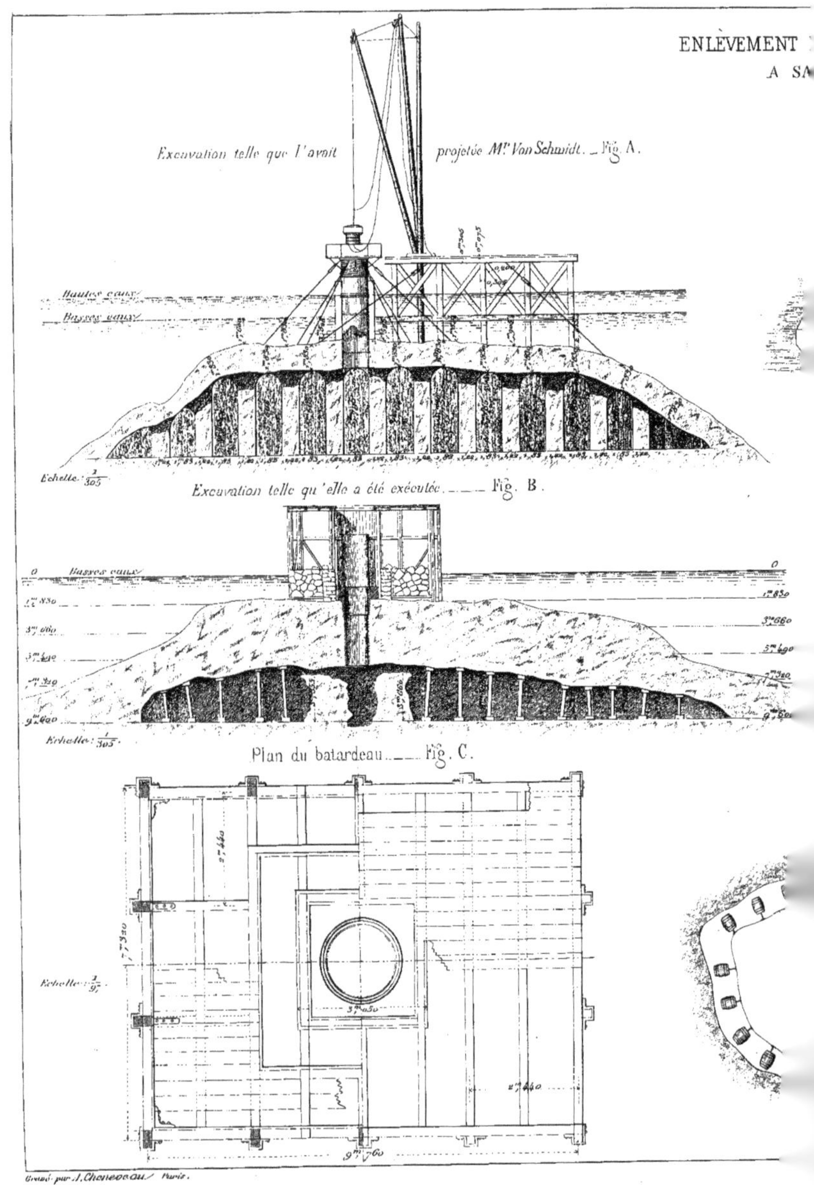

DE BLOSSOM
1870]

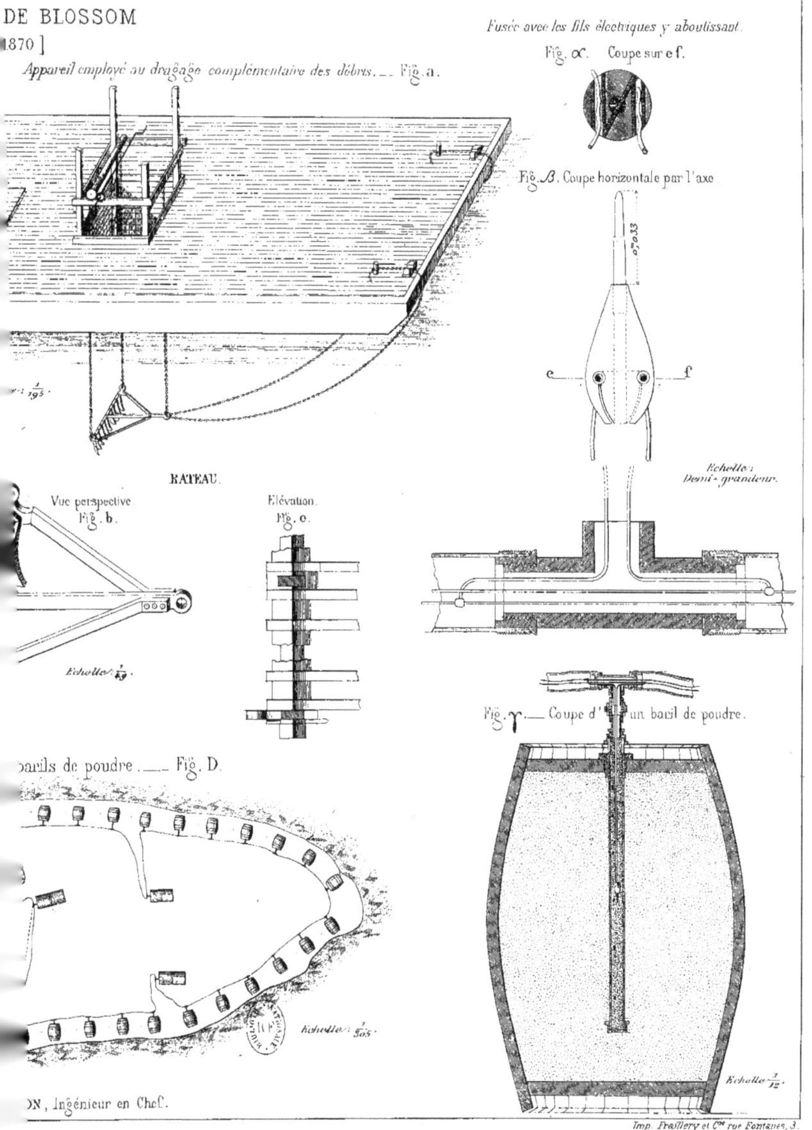

ON, Ingénieur en Chef.

Imp. Fraillery et Cie rue Fontaines, 3.

PAVAGES EN B

1er SYSTÈME.

Coupe longitudinale suivant AB.

Coup

Coupe transversale suivant CD.

Cou

[*Pierres cassées recouvertes d'une couche de sable fin.*]

[*Anci*

Plan.

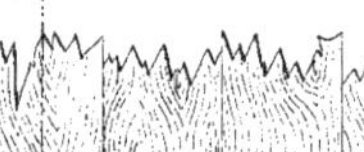

Gravé par A. Chenevau Paris.

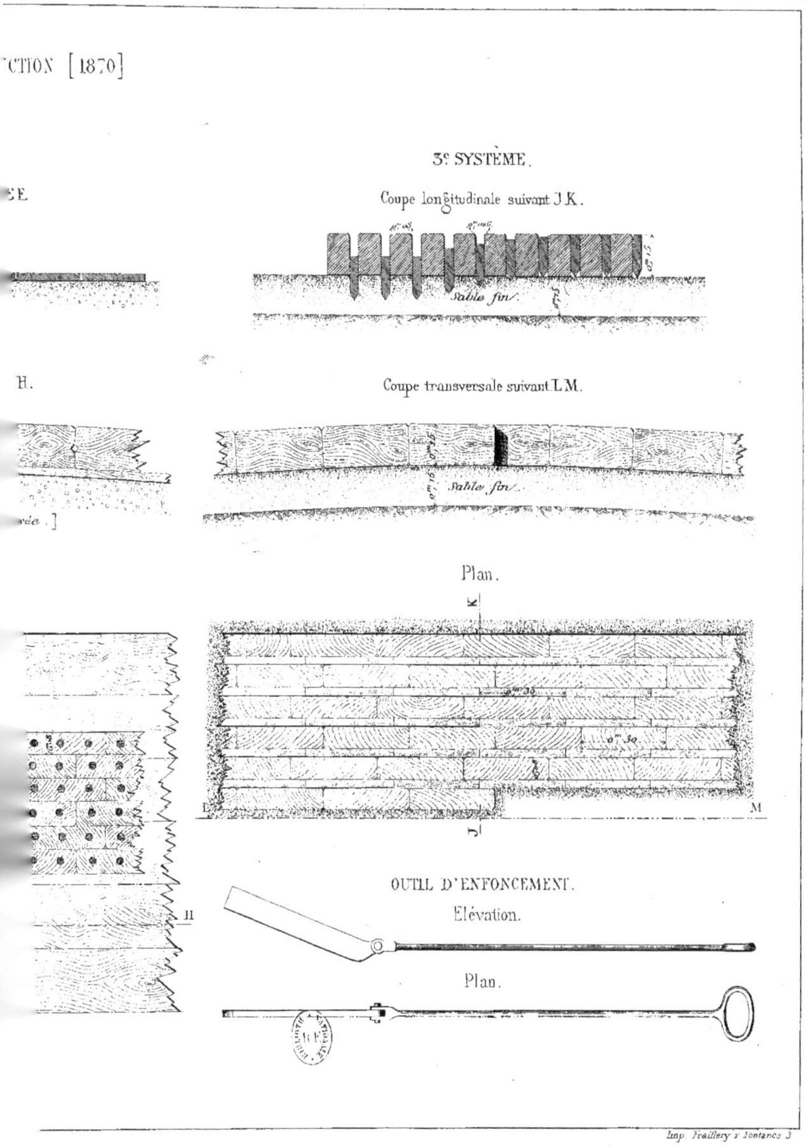
CTION [1870]
3e SYSTÈME.
Coupe longitudinale suivant J.K.
Sable fin.
Coupe transversale suivant L.M.
Sable fin.
Plan.
K
L
M
J
H.
H
OUTIL D'ENFONCEMENT.
Elévation.
Plan.

Imp. Fraillery r. Fontanes 3

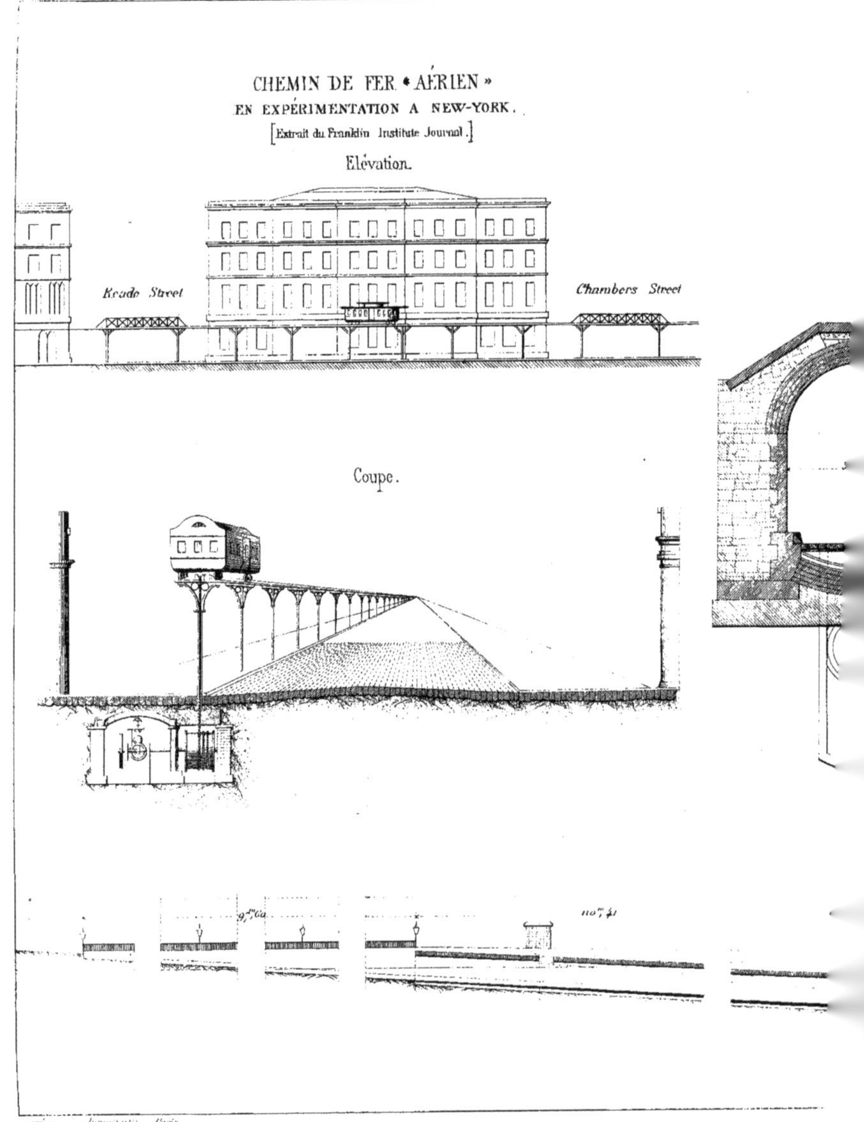
CHEMIN DE FER « AÉRIEN »
EN EXPÉRIMENTATION A NEW-YORK.
[Extrait du Franklin Institute Journal.]
Elévation.
Reade Street
Chambers Street
Coupe.

EL SOUS L'EAU

WASHINGTON, A CHICAGO.

ersale sous la rivière.

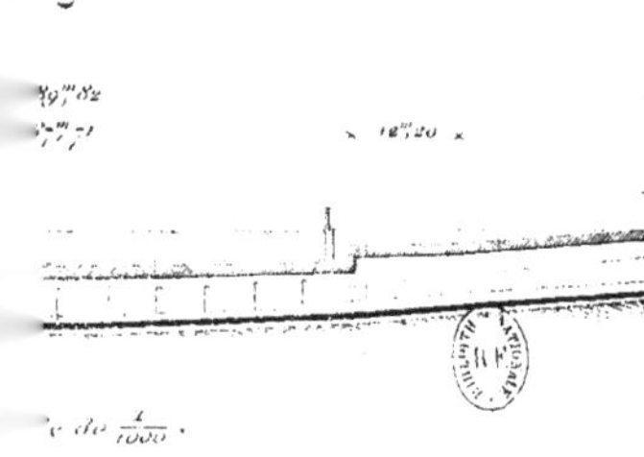

lle de $\frac{1}{96}$.

ongitudinale.

e de $\frac{1}{1000}$.

CHEMINS DE FER DES RUES.

Voie appropriée à la circulation des Wagons ou Cars et à celle des Voitures ordinaires.

Coupe transversale.

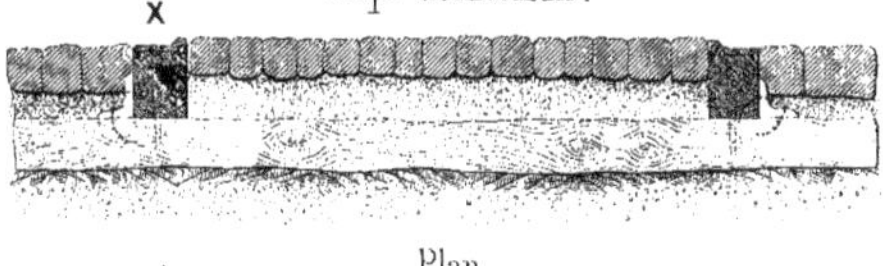

Plan.

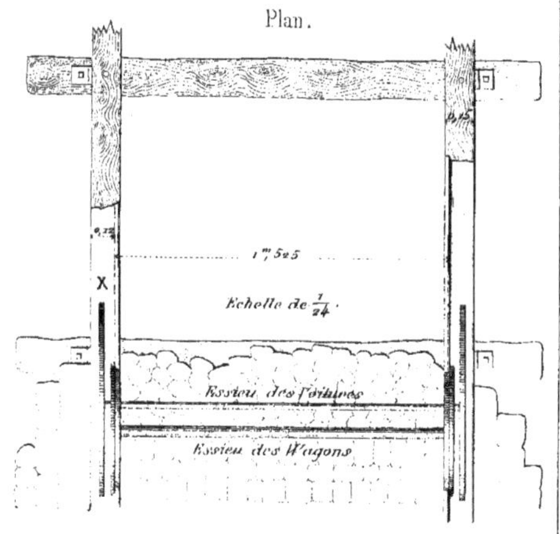

Coupe du Rail X

Rail posé à Philadelphie

Echelle $\frac{1}{4}$.

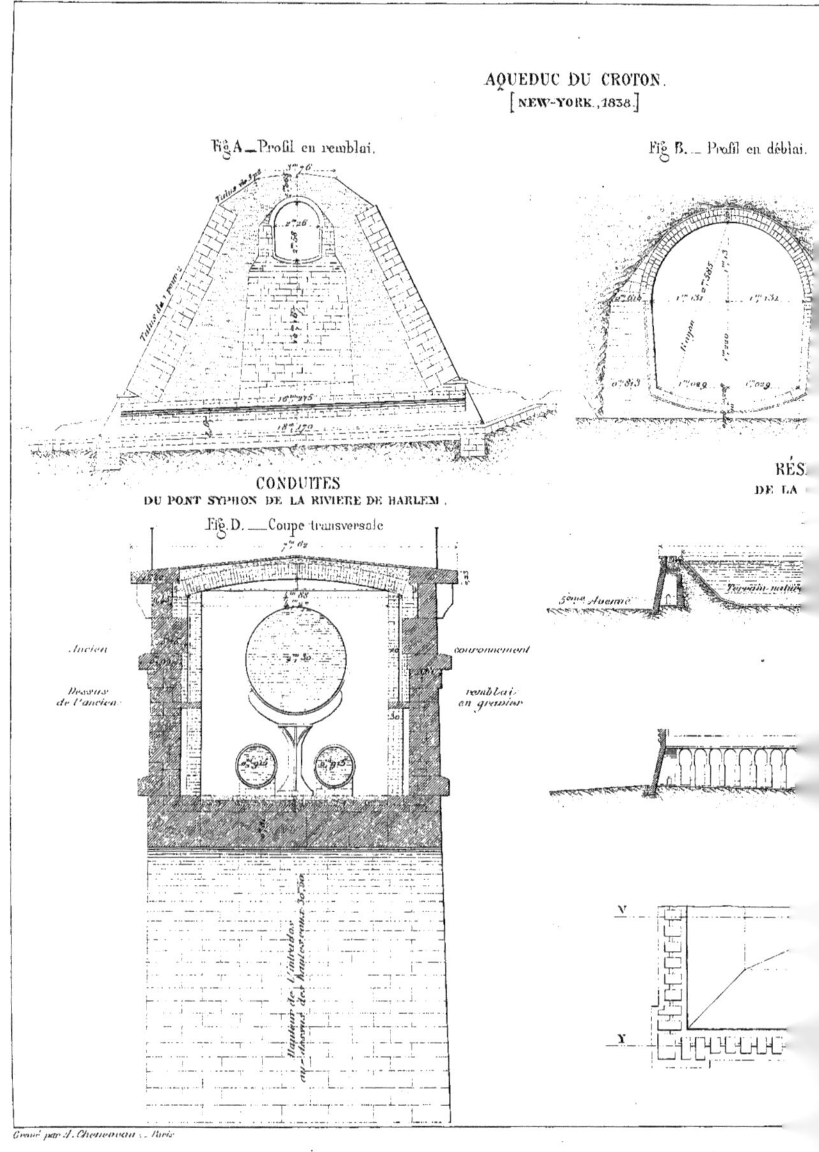

Gravé par J. Chevenvan à Paris

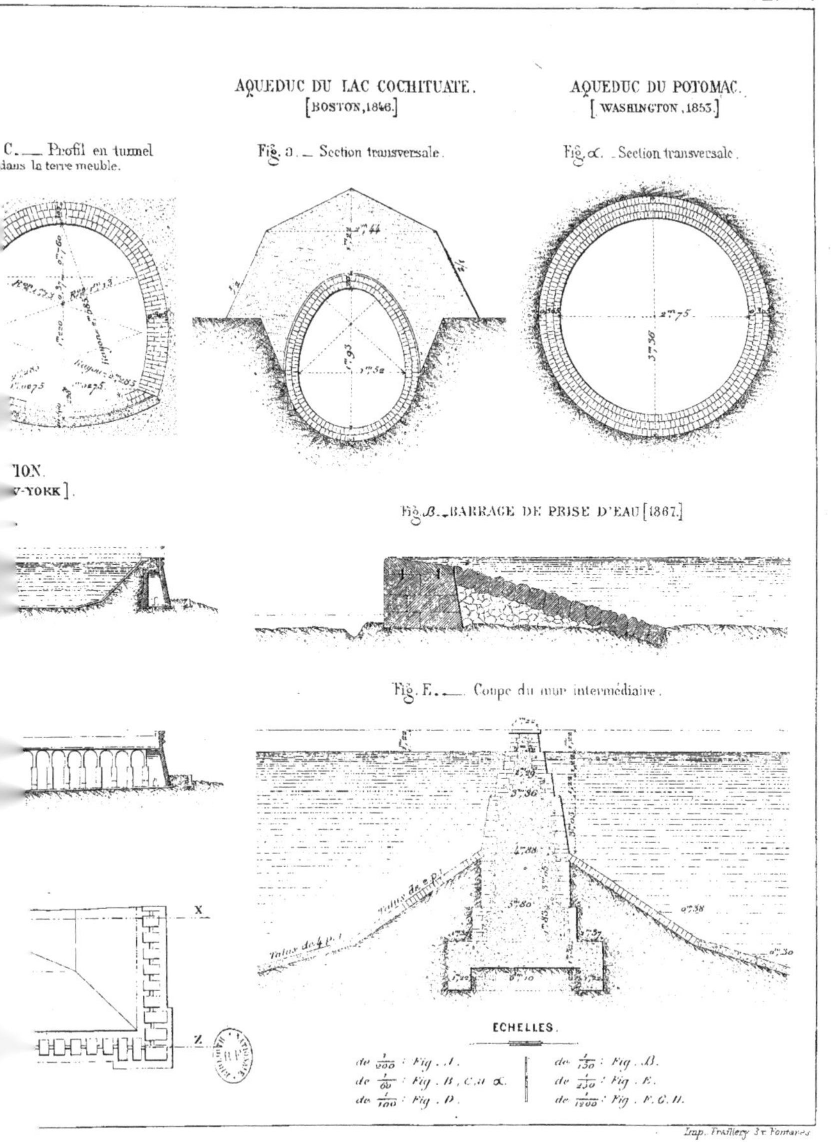
AQUEDUC DU LAC COCHITUATE.
[BOSTON, 1846.]
AQUEDUC DU POTOMAC.
[WASHINGTON, 1853.]
C. — Profil en tunnel dans la terre meuble.
Fig. δ. — Section transversale.
Fig. α. — Section transversale.
ION.
V-YORK].
Fig. β. — BARRAGE DE PRISE D'EAU [1867.]
Fig. E. — Coupe du mur intermédiaire.
X
Z
ECHELLES.

USINE HYDR

Turbine et

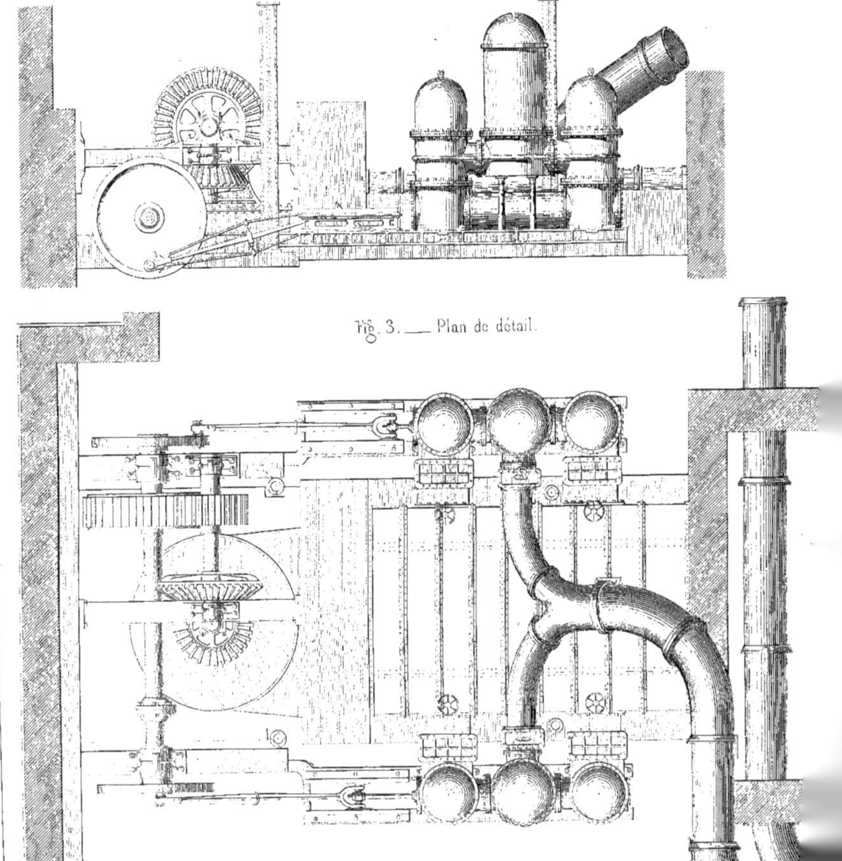

… FAIRMOUNT.

…s en 1870.

Fig. 2. — Coupe longitudinale par l'axe de la turbine.

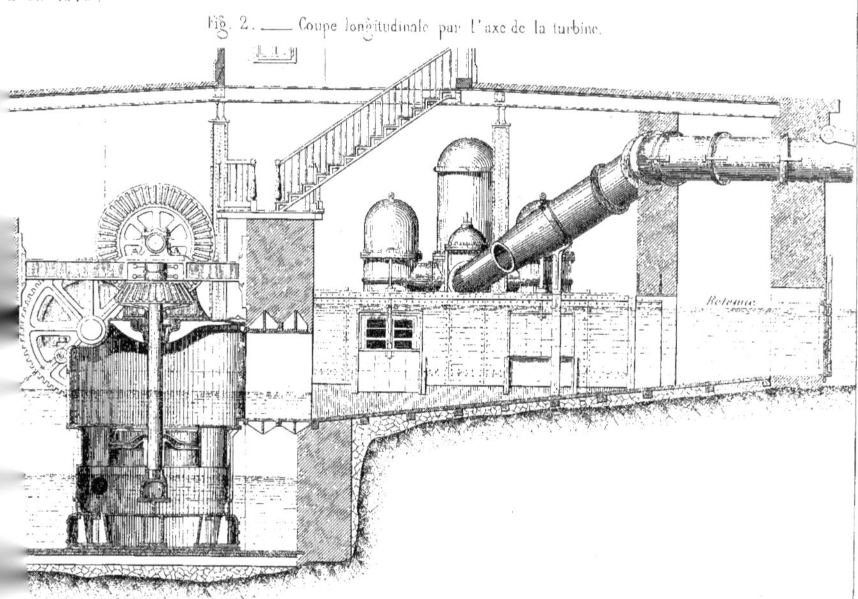

Fig. 4. — Plan d'ensemble.

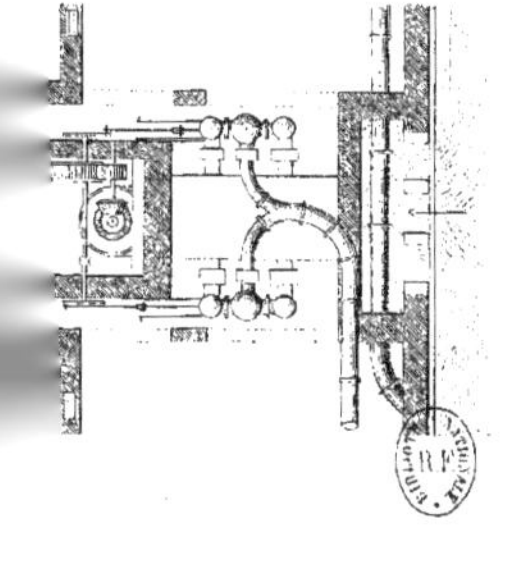

BARRAGE DE PRISE D'EAU

DANS LE SHUYLKILL.

Fig. 3. — Coupe transversale.

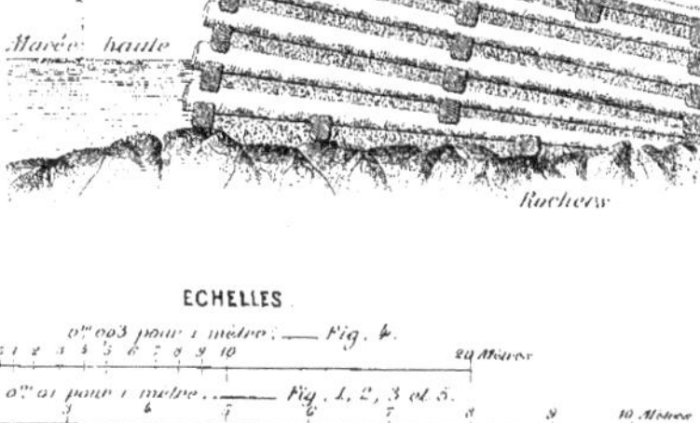

ECHELLES.

0m,003 pour 1 mètre — Fig. 4.

0m,01 pour 1 mètre — Fig. 1, 2, 3 et 5.

Imp. Fraillery et Cie 3 r. Fontanes

USIN

Batiment construit dans le Parc pour les machines

(Mr Frédéri

Pompe double de Worthington

ONT

ır en Chef)

Conduite à joints flexibles immergée dans le Schuylkill

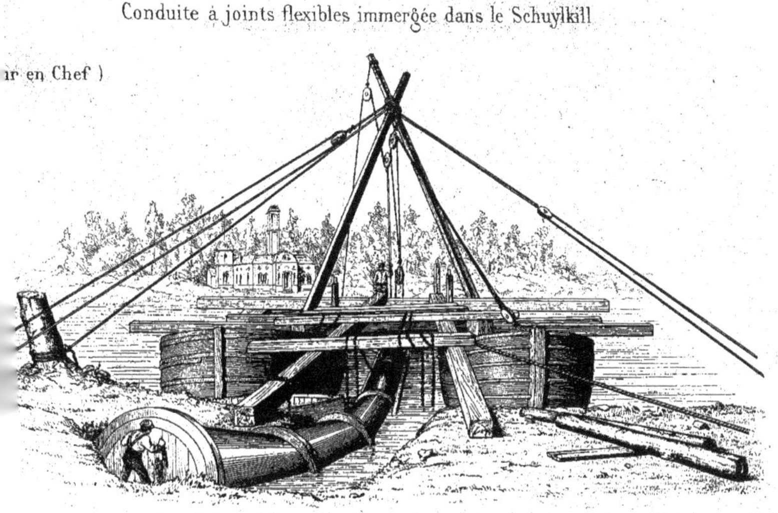

Détail du joint imaginé par M.M.Ward et Craven

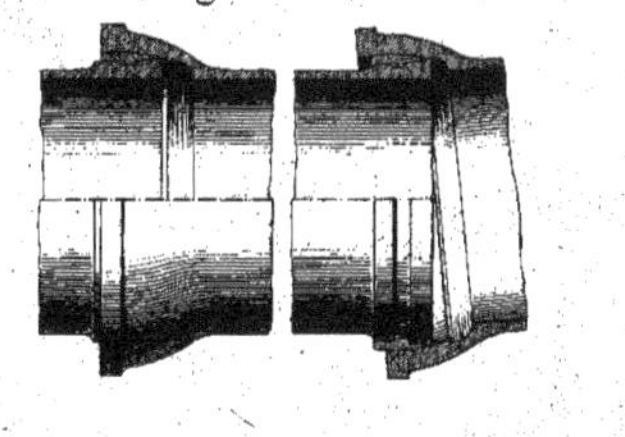

Vue d'ensemble

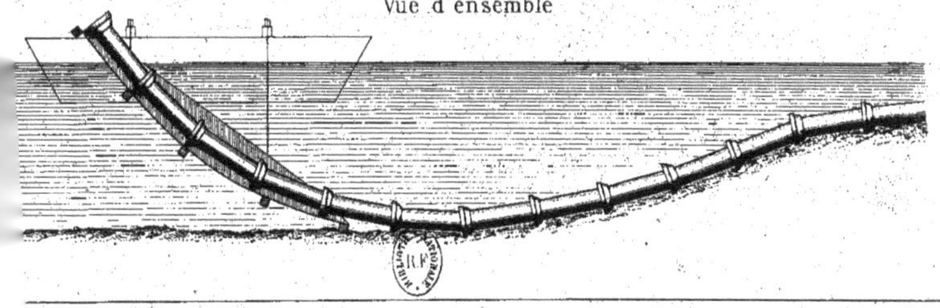

Gravé par E. Pérot

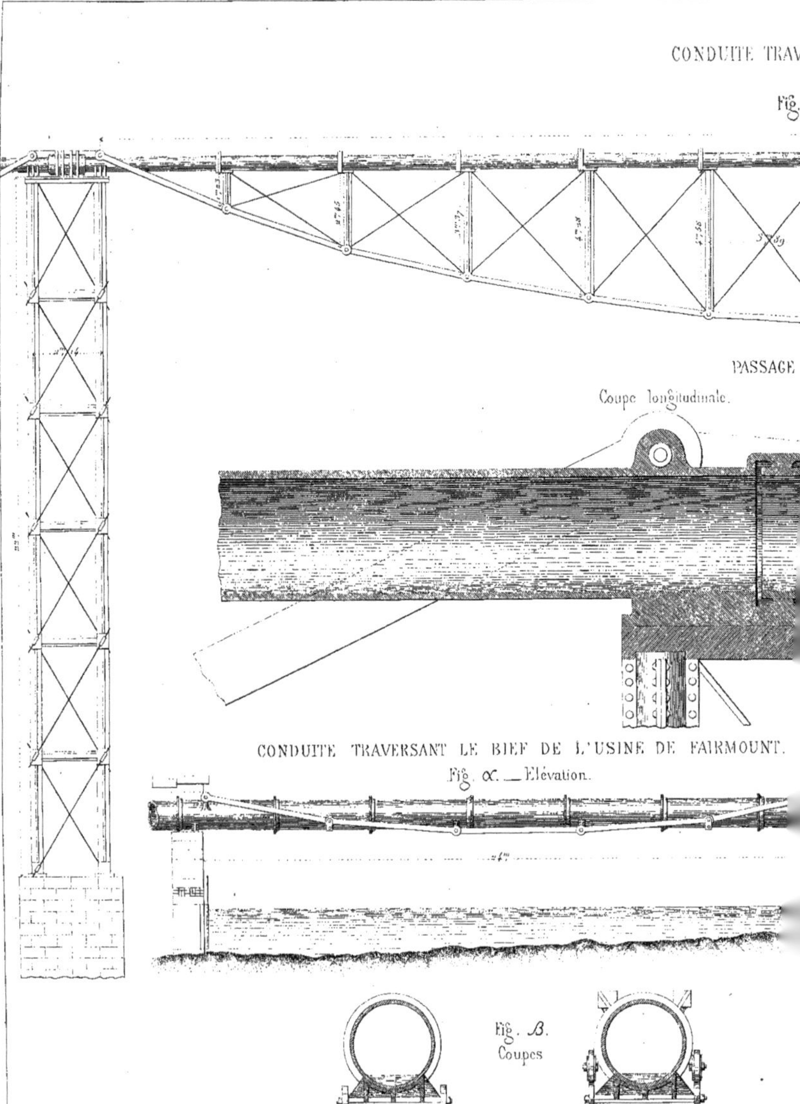

Gravé par A. Chenevaux _ Paris

ÉE DU WISSAHICKON.

ne travée.

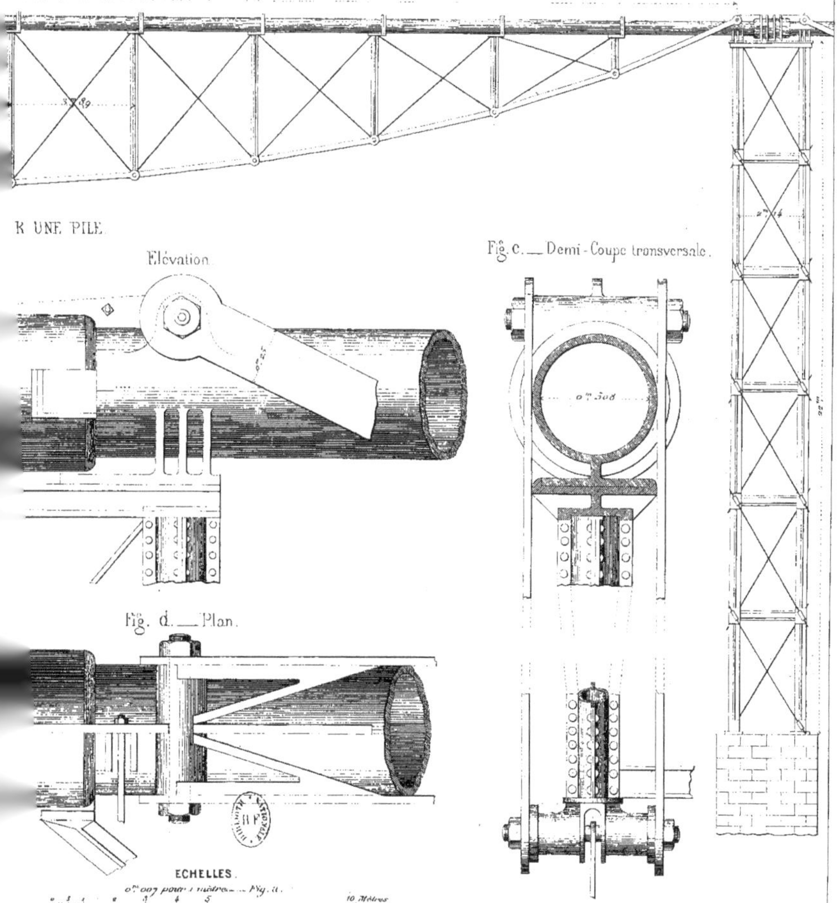

R UNE PILE.

Élévation.

Fig. c. — Demi-Coupe transversale.

Fig. d. — Plan.

ECHELLES.

0m 007 pour 1 mètre — Fig. a. — 10 Mètres

0m 006 pour 1 mètre — Fig. α — 15 Mètres

0m 05 pour 1 mètre — Fig. b. c et d. — 2 Mètres

0m 02 pour 1 mètre — Fig. β. — 6 Mètres

Imp. Fraillery et Cie 3 r. Fontaines

TOUR CONTENANT LA COLONNE D'EAU
IMPLANTÉE A L'ORIGINE DE LA CONDUITE DE REFOULEMENT.

Fig. a. — Élévation.

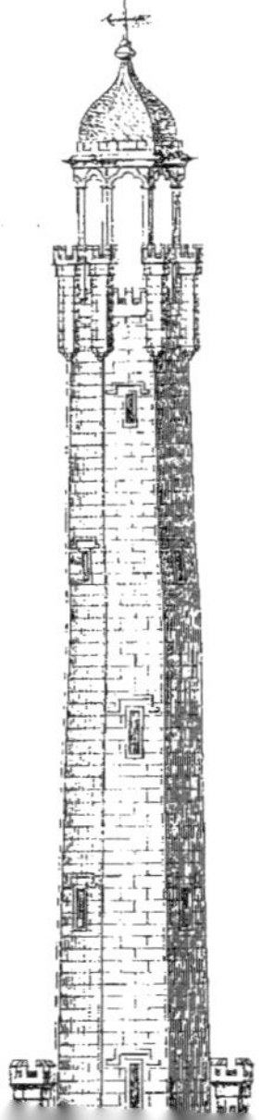

FONÇAGE D'UN PUISARD
POUR LA MACHINE DU NORD [1866-67.]

Fig. A. — Coupe.

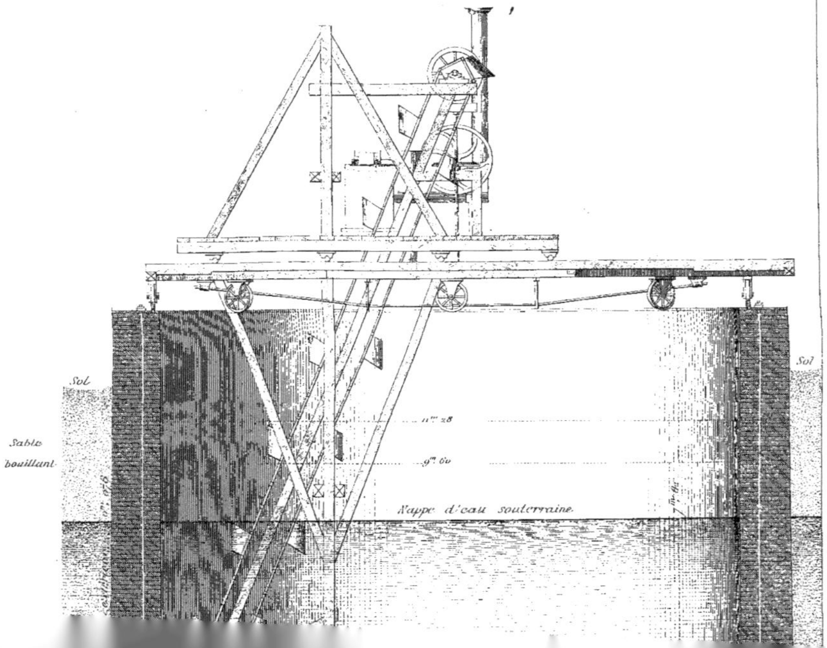

Sol

Sol

Sable bouillant

$11^m.28$

$9^m.60$

Nappe d'eau souterraine

Fig. b. —— Plan.

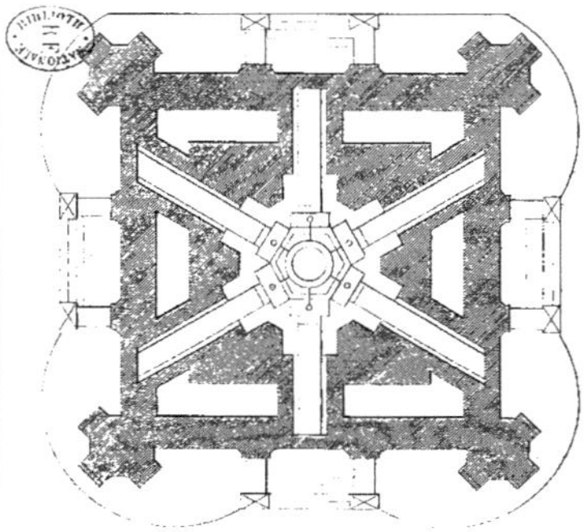

Fig. B. —— Plan.

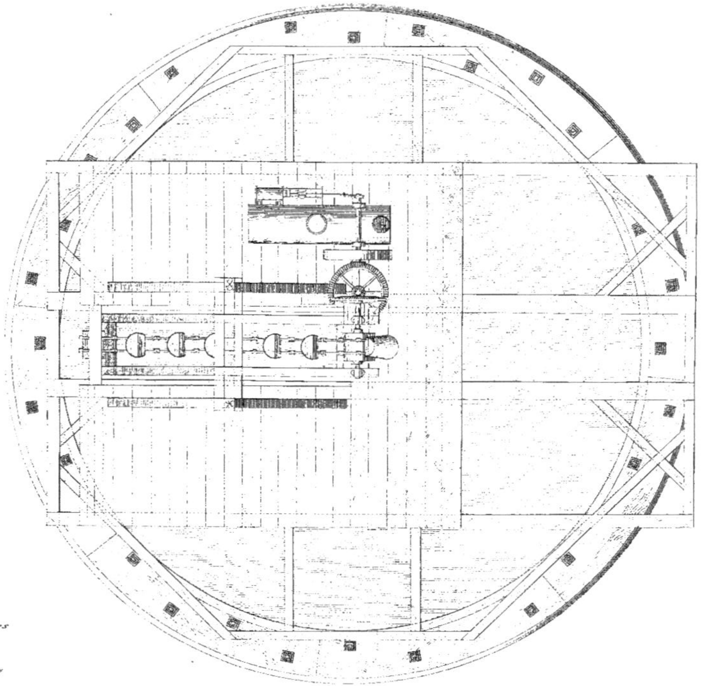

ECHELLES.

0m 004 pour 1 mètre. —— Fig. a et b

10m — 20 Mètres

0m 0134 pour 1 mètre. —— Fig. A et B.

1 2 3 4 5 6 Mètres

PL. 57.

Gravé par A. Cheneveau. Paris

Imp. Fraillery et Cie 3 r. Fontanes

PRISE D'EAU

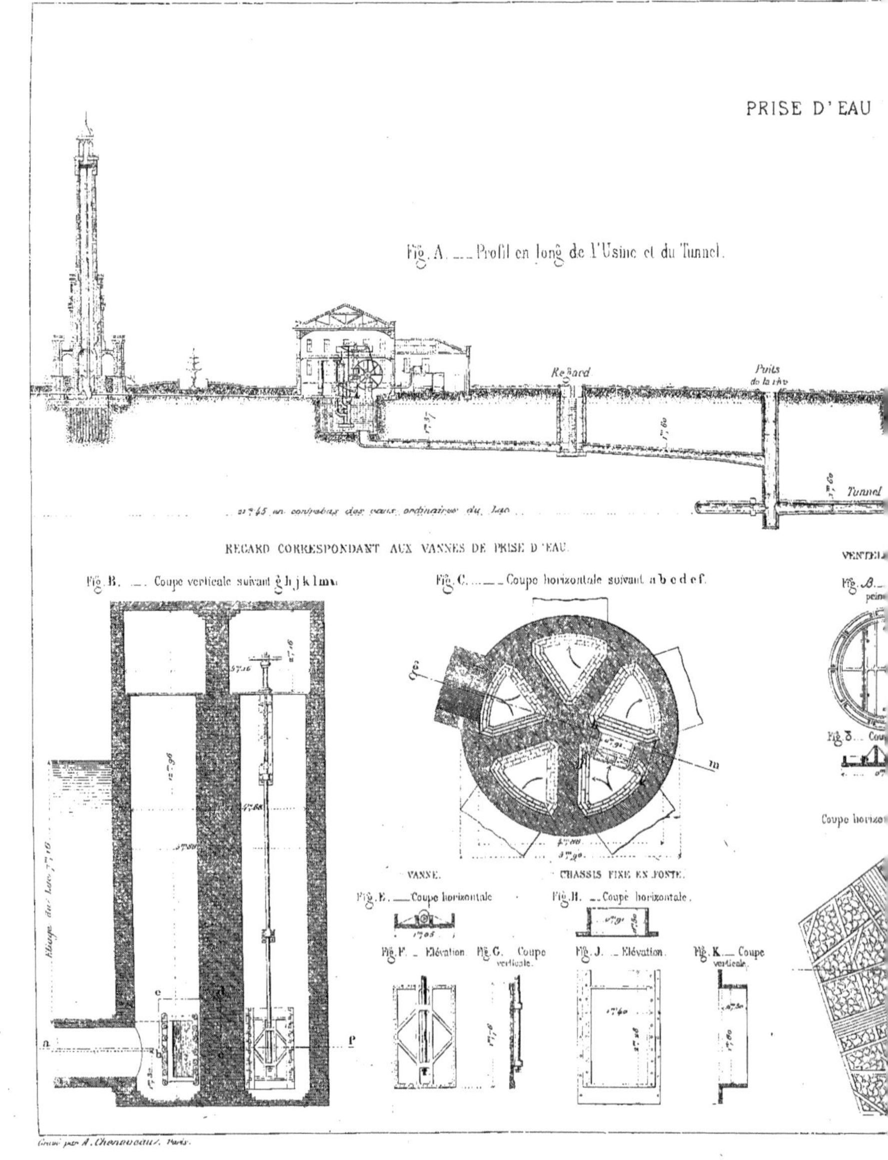

Gravé par A. Chenouvaux, Paris.

ES ÉLÉVATOIRES.

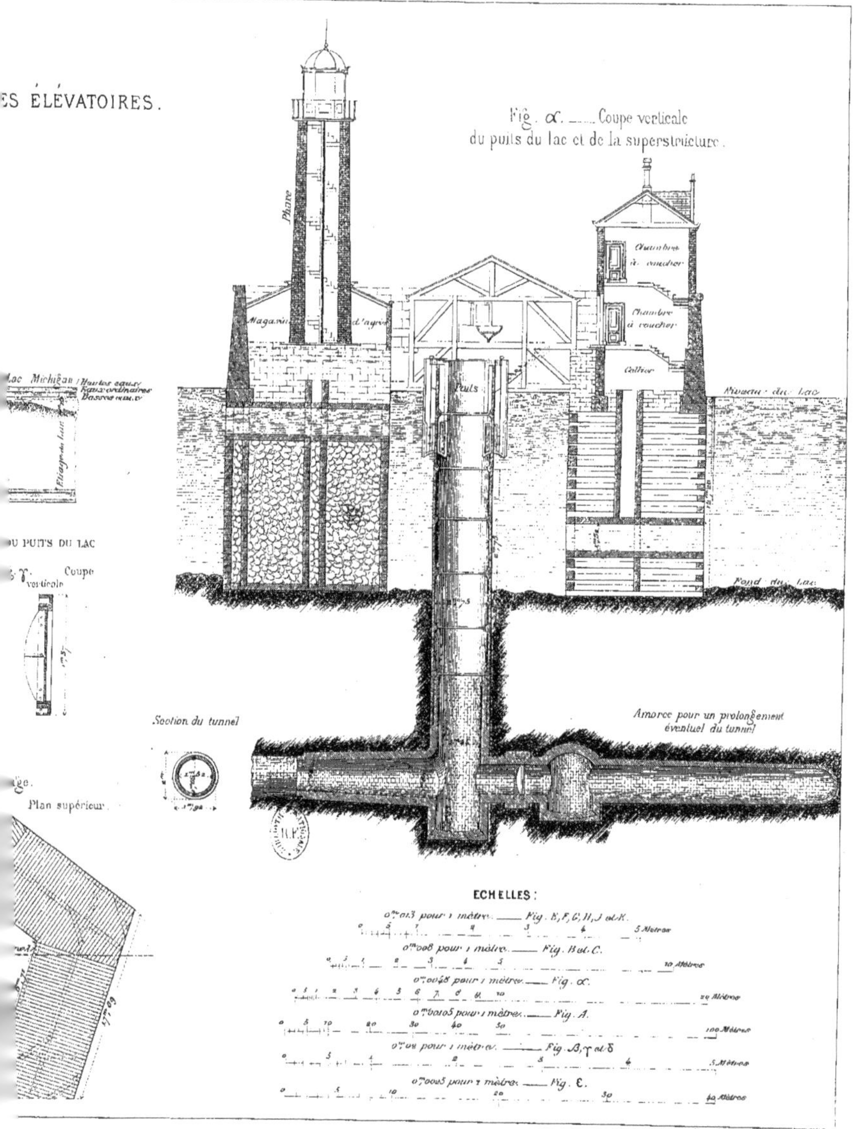

Imp. Erhard et Cie.

ÉLÉVATEU

Fig. a. — Coupe en long.

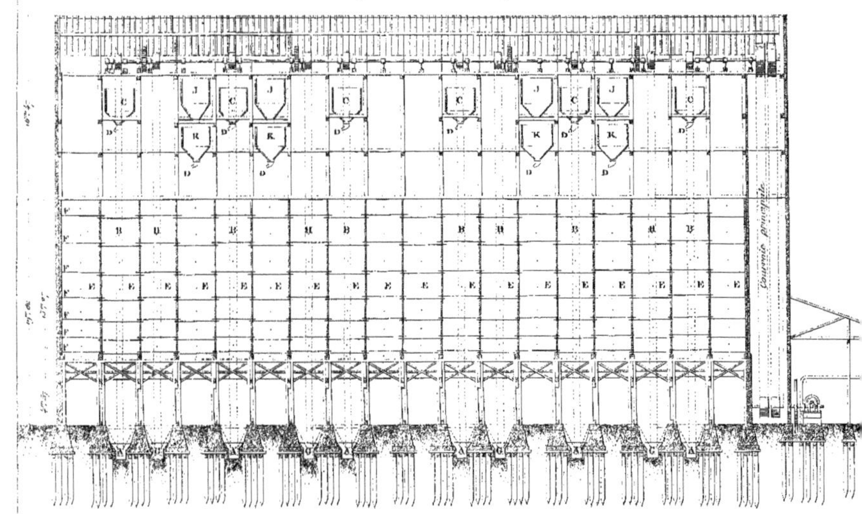

Fig. c. — Plan d'ensemble.

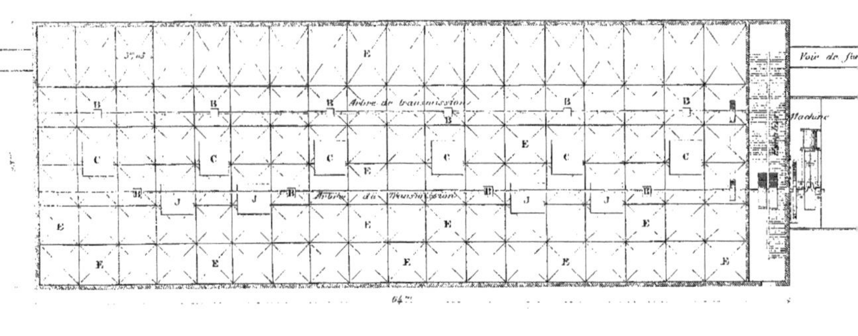

Echelle de 0m,0005 pour 1 mètre. — Fig. a, b et c.

Echelle de 0m,005 pour 1 mètre. — Fig. d

Gravé par J. Chenevoint — Paris

, A CHICAGO.

Fig. b. — Coupe en travers.

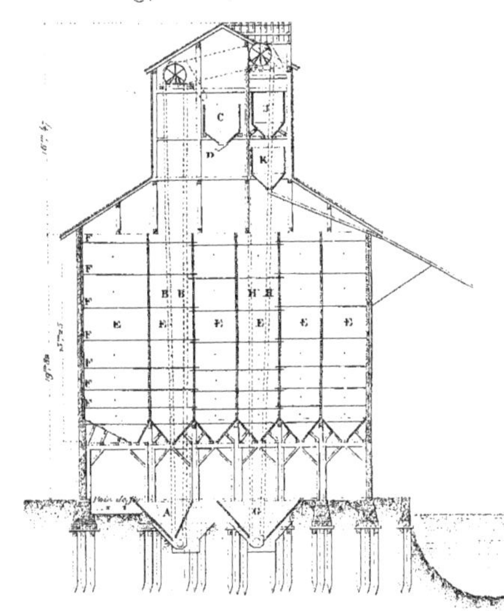

LÉGENDE.

1° ÉLÉVATEUR.

A,A, … *Puisards d'arrivée du grain.*

B,B, … *Chapelets d'arrivée ou de réception [Receiving Elevators].*

C,C, … *Cuves d'arrivée ou de réception [Receiving Hoppers].*

D,D, … *Amorces de tuyaux de descente [Spouts].*

E,E, … *Coffres d'emmagasinage [Bins].*

F,F, … *Tirants en fer reliant les cloisons en charpante des coffres [Iron Bin Rods].*

G,G, … *Puisards de départ.*

H,H, … *Chapelets de départ ou d'embarquement [Shipping Elevators].*

J,J, … *Cuves de départ ou d'embarquement [Shipping Garners].*

K,K, … *Cuves de pesage [Weighing Hoppers].*

2° ASCENSEUR.

AA' *Cylindres à vapeur.*

BCD *Courroie transmettant le mouvement de la roue B à la roue D et par suite à l'arbre du tambour C.*

HH' *Câble principal reliant le tambour à la poulie N et entraînant l'ascenseur.*

KK' *Câble de commande renvoyé par les poulies J et J' de la poulie verticale R à la poulie horizontale Z, qui règle l'introduction de la vapeur.*

Q *Contre-poids mobile.*

ASCENSEUR A VAPEUR ÉTABLI EN 1860
Chez Mr Barbey, Négociant à New-York.

Fig. d. — Plan détaillé de quelques coffres d'emmagasinage [Bins].

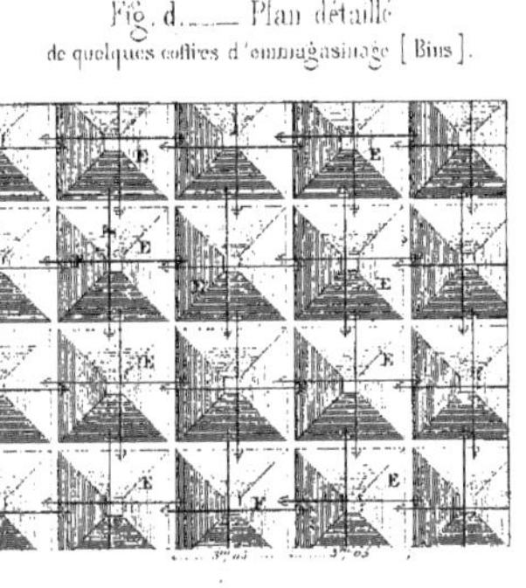

Fig. α. — Coupe sur m.n.

Coupe sur o.p.

Fig. β. Plan.

Fig. γ. — Élévation de Cage.

Fig. δ. — Plan.

Echelle de 0m,015 pour 1 mètre. — Fig. α, β, γ et δ.

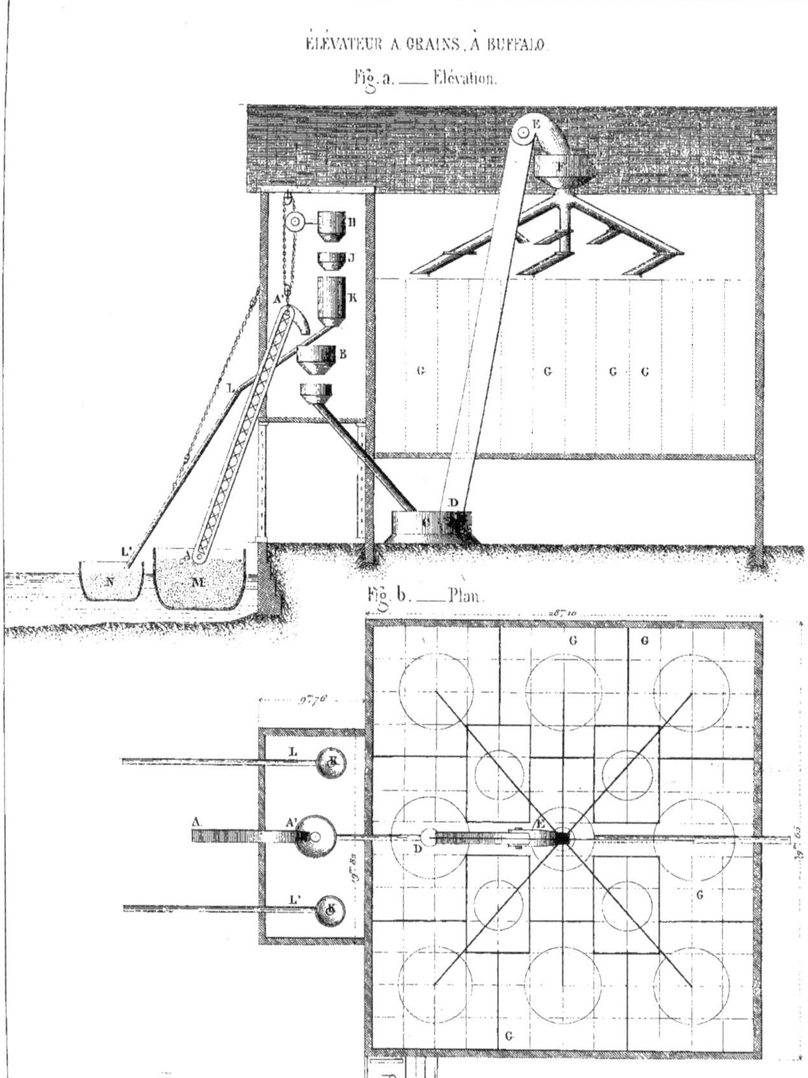

Gravé par A. Chaheveau. — Paris

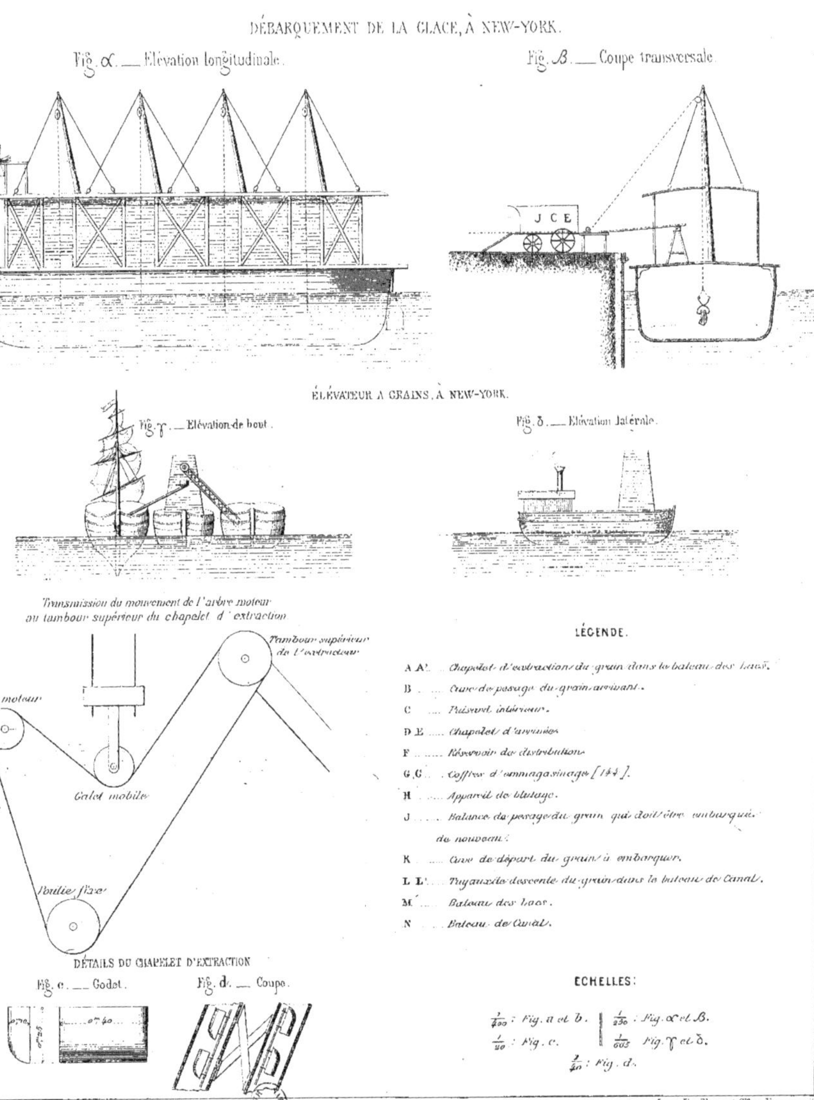

Imp. Fraillery et Cie r. Fontaine 1

0

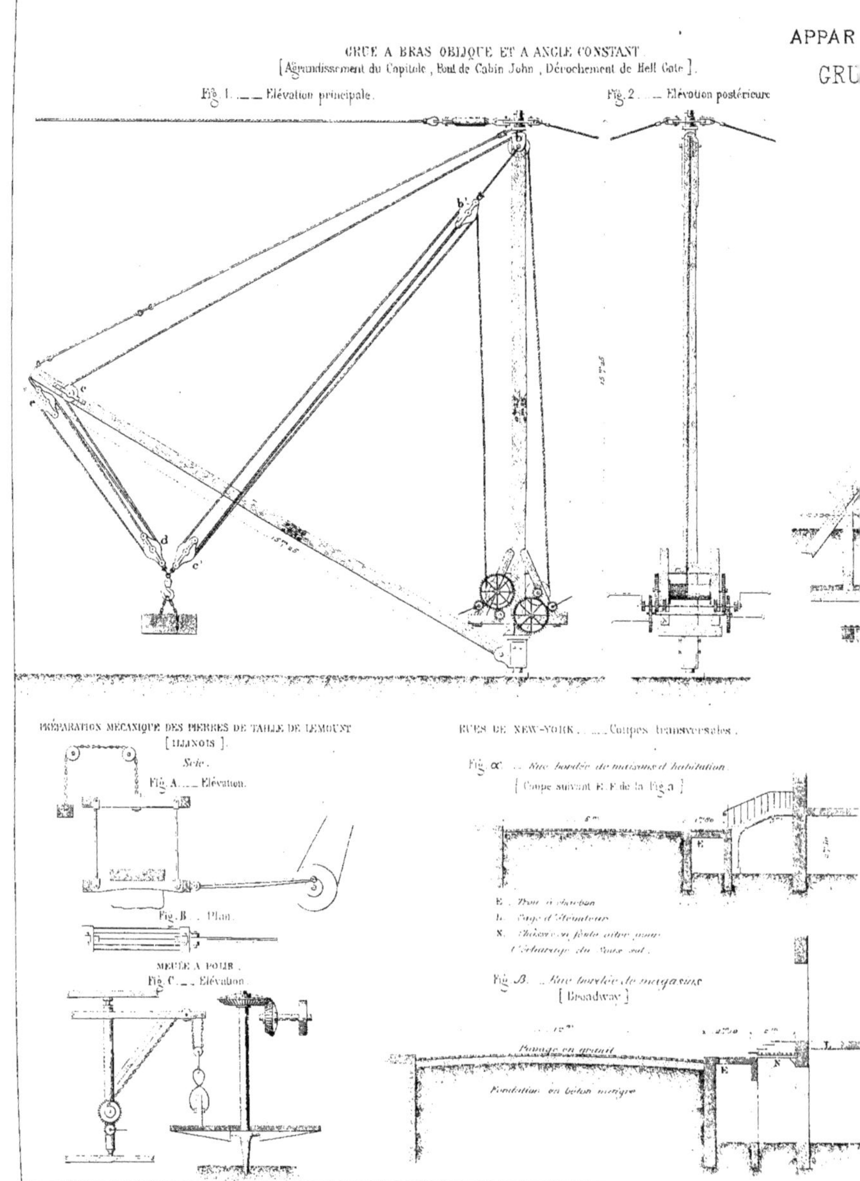

Gravé par A. Chenevoccaux, Paris.

..RDAGE.

..ITES.

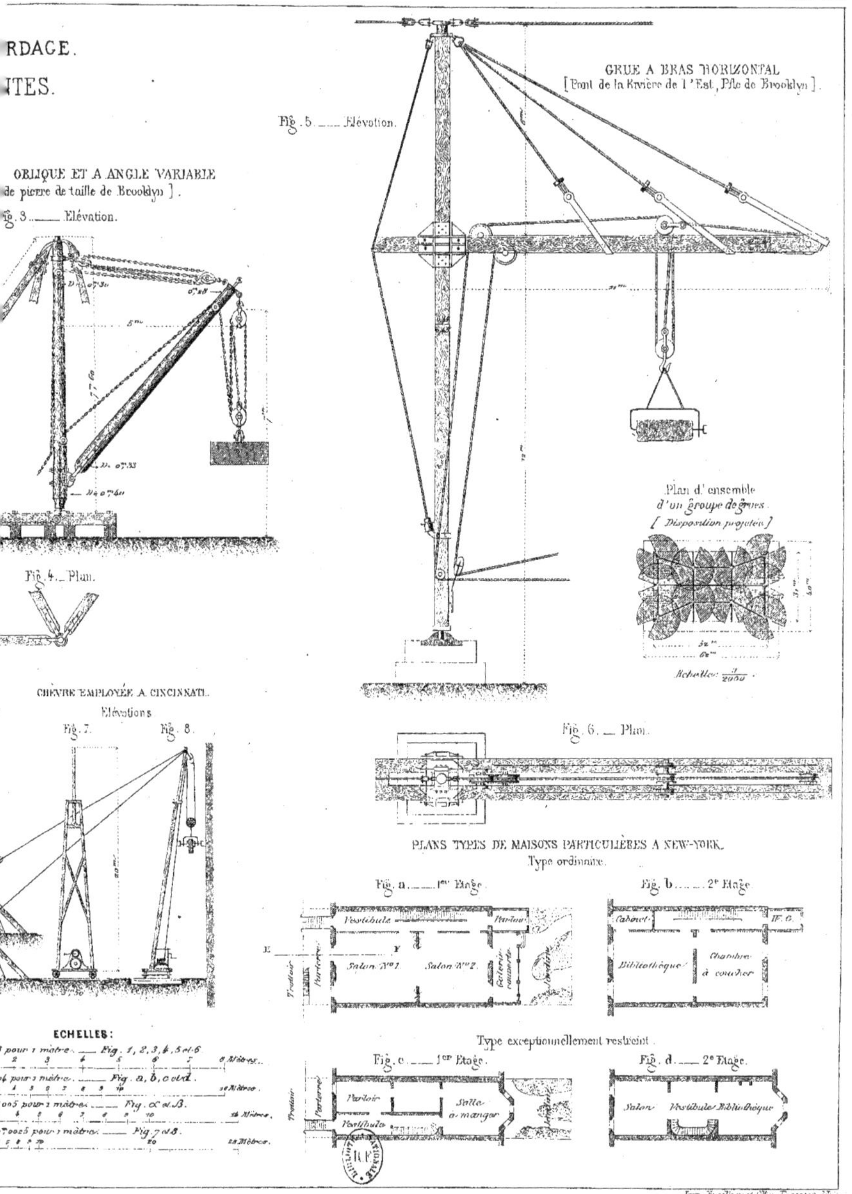

Imp. ..aillery et Cie ..

www.ingramcontent.com/pod-product-compliance
Ingram Content Group UK Ltd.
Pitfield, Milton Keynes, MK11 3LW, UK
UKHW020134220726
13923UKWH00001B/163